ちくま新書

疫病の精神史

——ユダヤ・キリスト教の穢れと救い

竹下節子
Takeshita Setsuko

1580

疫病の精神史——ユダヤ・キリスト教の穢れと救い【目次】

はじめに——いま、宗教の役割とはなにか

人はいつも神との関係を誤ってきた。

そうでなければ、「不信心者」や「異教徒」、「野蛮人」「危険な人々」や「不都合な人々」を神の名のもとに殺し続けてはこなかったはずだ。

＊

二〇二〇年、中国に発生したとされる未知のウイルスによる感染症（COVID－19）が、またたく間に世界に広がった。中国による感染都市の徹底的な封鎖を対岸の火事のように見ていた欧米が突然、爆発的感染の中心地になったのはそれからわずか二カ月後のことだった。

アメリカでは三月一五日に、トランプ大統領が「国民の祈りの日」を呼びかけ、「アメリカは長い歴史の中で、このような苦難の時にはいつも神にご加護と力をもらえるように祈ってきた」とツイートした。

一方、伝統的なカトリック国でありながら、教会や神を封印することを革命以来の「共和国アイデンティティ」にしたフランスは、意地でも「神」という言葉を口にしない。マクロン大統領は金持ち優遇政策によって分断されていたフランスで、黄色いベスト運動や年金改革反対の大規模ストで批判されていたが、彼の異名であるローマ神話の神ジュピターの本領を発揮して、「我々は戦争状態にある」と国民の協力を呼びかけた。

戦争と神とは、実は相性がいい。神の名のもとに聖戦を仕掛けたり、敵対する国がそれぞれに戦勝を祈願して、「神風」が吹くよう願うこともある。毎日告げられる疫病による犠牲者の数が増えていくにつれて、人々が心のなかで神を求めたとしても不思議ではない。人間の世界に存在する「経済」「制度」「社会」という三つのシステムの基底にあるのが「信仰」なのだ。

信仰の根底には、先人に思いを馳せ、自分の死後の未来をも憂えるという人間の視野の広さがある。葬儀や誕生の儀礼が生まれ、そこに宗教が生まれた。神とは人智や個人の生死を超えた、見えない世界と人とを結ぶものだった。二〇〇〇年前、パレスチナの片隅に生まれたキリスト教は、ローマ帝国の国教となってから西洋文明を養い、進歩思想や経済倫理を育み、さらには近代西洋の覇権を確立した。

ところが、とうとう、「神は死んだ」と言われる時代がやって来た。富と利潤の論理が増大し、グローバル化した世界では、人と神との関係が至るところで機能不全に陥っている。科学技術が飛躍的に発展し、自然を搾取する人間の万能感は肥大化した。一方で、核兵器、地球温暖化、AIによる支配という臨界が視野に入り、戦争やパンデミックや天変地異という危機も去っていない。そんななかで、二〇二〇年に地球規模の危機感を煽った新型コロナウイルスは、国家や宗教や苦しむ個人に、神や祈りの役割が何なのかという問いを投げかけた。

キリスト教文化圏からは遠い中国から始まったとされる感染症は突然、ローマ・カトリックの本山を抱えるイタリアを直撃した。しかも折から、キリスト教最大の典礼である四旬節（しじゅんせつ）と復活祭の期間に当たっていた。世界最大の宗派であるローマ・カトリックがこの危機をどのように生き、どのようなメッセージを発したのかを振り返ることは、人と神の関係の可能性を改めて考えることでもある。

キリスト教神学は、人と神の関係をイエス・キリストという「人格神」を介して掘り下げる。人格神とは神が受肉して生身の人間に介入してきたものだから、それは人間的な関係でもある。八百万（やおよろず）の神が自然を守っているという感覚とはもちろん違うし、暗躍する疫病神を成敗してくれる神でもない。

特に、ヨーロッパの基礎を造ったカトリック教会は、多神教の神々や呪術を一掃する代わりに、様々な装置を作って「奇跡」や「術」を温存した。そこで培われた智慧は、どんなに科学技術が発達しても決して逃れることのできない生老病死との向き合い方を洗練させてきた。世界の数多くの民族宗教や民間信仰の神頼みに見られる、特権を求め「神との取引」を原則とする形からも進化を続けてきた。

突然のパンデミックを前に、「予備マスク」や「予備病床」のストックが重要だとわかったように、神仏も必要とされる時に必要な役割を果たすことができるのだろうか。

疫病を前にした人々は、感染しないこと、感染しても全快することをひたすら祈り、そのために神を恃(たの)んできた。永遠に「復活」を語り続けるキリスト教の神は、感染症の歴史の中でどのように救いと希望を人々に与えてきたのだろうか。神と人との関係に「愛」を導入した画期的な宗教であるキリスト教は、人と人との共生を愛の介在によって最適化するための装置として機能する。この本は神を蒙昧(もうまい)から救い、実存の糧とする可能性が今日の危機にあっても有効であるのかどうかを探るものだ。

＊

本書の序章では、二〇二〇年に起きた新型コロナウイルスの蔓延がキリスト教及び現代社会に与えた影響について言及し、第1章では、新旧約聖書の中で疫病と神との関係がどのように語られてきたかを紹介する。第2章では、キリスト教文化圏としての西洋における疫病対策の変遷を紹介し、第3章では一神教と疫病の特異な関係について語り、第4章では、キリスト教と衛生観念のパラドクスを分析する。第5章で、ヨーロッパの歴史における疫病と政治経済の関係の実例を紹介し、終章で疫病をめぐる西洋近代医学と神の関係を考察する。二一世紀に起こったパンデミックを、恐れや罪悪感に彩られた言説とは別の角度から捉えることによって、ポジティヴな新しい道が見えてくることを期待するものである。

序　章
新型コロナとキリスト教

コロナ禍の2020年3月、会衆のいない聖堂でミサを執り行うローマ教皇フランシスコ
(©Vatican Media／ロイター／アフロ)

†赦しの秘跡

二〇二〇年、新型コロナウイルスによるパンデミック危機が起こった当初、欧米諸国や日本は、完全封鎖された武漢から自国民を救出するために、次々と特別機を送った。事態を対岸の火事としか見ていなかったヨーロッパで最初に爆発的な感染が起こったのが、北イタリアだった。医療崩壊やトリアージ(救命優先順序の選別)を含む悲惨なニュースが流れ、その後も、スペイン、フランスと、ローマ・カトリック文化圏の国々が深刻な蔓延に見舞われた。

ヨーロッパの多くの国々が国境や都市を封鎖し、外出や経済活動が停止される「非常事態」が始まった。シナゴーグ、教会、モスクなどの宗教施設も次々と閉鎖されていった。そのピークにさしかかった三月二四日、キリスト教最大の行事である復活祭を控えたバチカンから、世界最大の宗派であるローマ・カトリックの首長フランシスコ教皇がビデオを通して、宗教を超えたあらゆる「善意の人々」に向けて、病者のため、苦しむ人々のために共に祈ろうと呼びかけた。

それに先立つ三月二〇日、バチカンは「赦しの秘跡」に関する教令を出していた。「赦しの秘跡」というのは、信徒が自分の犯した罪を神父に告解して「罪障免償」を受けることだ。その時に、特定の祈りを数回唱えるよう申しわたされるなどの手続きを経て、「償い」の業の一部または全部が免除される。つまり、罪がゼロの状態で再出発できるようになる。

特に大切なのは死ぬ前で、この時に「病者の塗油（終油の秘跡）」によってそれまでの「罪」を免償してもらうと、最後の審判の時に「父の国」である天国に行ける。ローマ・カトリックでは、その免償がかなわなかった人も地獄に直行するのではなく、煉獄で罪を清めたり、聖者が祈ってくれたりすることで救われるチャンスがあるとされていた。

今では、日曜日ごとにミサに参加する信徒も、司祭に一対一で告解する信徒も少ない。それでも、宗教改革以前のヨーロッパで、年に一度の復活祭の前に告解をして免償を受けるのが普通だったように、告解によって罪だけでなく罪悪感も消すことができるという考えは広く根付いている。

まだインフラも整っておらず、飢饉や病気や戦争のために平均寿命が短かった時代には、王侯貴族といえども、死後の魂の行き先は切実な関心事だった。それは今も同じで、洗礼を受けただけで、その後は教会に出入りすることのない多くの「無関心派」の信徒でも、いざ死を前にすると、司祭の訪問を求める人は決して珍しくない。宗教とはもともと、誕生と死という境界領域における、実存の危機をケアするために生まれたものだからだ。

だからこそ、イタリアで新型コロナウイルスが多くの犠牲者を出したとき、多くの司祭が「病者の塗油」「終油の秘跡」、免償、葬儀といった儀礼のために動員され、その中でも少なからぬ司祭が感染して自らも斃(たお)れた。その状況を前にしたバチカンが「赦しの秘跡」を拡大したのは必要な対策だった。

もともと「赦しの秘跡」には、個別の告解によるもののほかに、特別な時期に特別な場所へ巡礼することや、集団で祈り赦しを求めることで免償される「一般赦免(しゃめん)」というものがある。復活祭やクリスマスに教皇の祝福を受けるなら、それがたとえテレビやラジオ、インターネットを介していても「全免償」を受けることができる。もちろんそれには、「赦されたい」という意思が必要で、その有効性にもいろいろな条件がある。

新型コロナウイルスについては、「感染症に苦しんでいる人、病者の世話をしているすべての人、パンデミックによって被害を蒙(こうむ)った人、感染症の終息を祈るすべての人」に対して、「告解、聖油(せいゆ)、聖体などの通常の手続き」なしに特別免償の恵みが付与されることになった。死を覚悟した重症者も、免償を望み一生のうちで祈りを捧げたことのある人なら誰もが罪を赦される。

これは、一度でも聖母に祈ったことのある人ならば、どんな罪人でも、悪魔によって地獄に運ばれていく魂を聖母マリアが取り返してくれるというヨーロッパの民間信仰と通じている。一度でも「南無阿弥陀仏（なむあみだぶつ）」を唱えた人ならば阿弥陀仏が極楽に迎えてくれるという浄土系仏教とも同じ心性だ。

告解なしの一般赦免の条件には通常、「ロザリオの祈りを捧げる」「聖書を三〇分読む」など様々なものがあり、「霊的に三位一体（さんみいったい）の神とつながる」ことが必要とされてきた。けれども、今回の新型コロナ感染症の蔓延という「非常状態」においては、呼吸器につながれて意識のないまま亡くなる人はもちろん、祈ったり赦しを願ったりする時間も心身の余裕もないままに医療現場で働く人、闘病する人、看護する人がいるわけで、バチカンはそのような人すべてに「恵み」を付与することにした。

✝犠牲の仔羊

イタリアでは、最も犠牲者が多かったベルガモの聖母マリア聖堂などを背景に、様々な音楽家がインターネットで聖歌や宗教曲を配信した。ベルガモ出身のシンガーソングライターのロビー・ファッキネッテは「僕はよみがえる、君もよみがえる」という曲を配信し、その著作権料を感染症と戦う地元の「教皇ヨハネ二十三世病院」に寄付した。その歌詞は、「パンデミックの終息を願う」とか「感染者の回復を祈る」などというものではなく、「すべてが終わってしまうとしても」よみがえり、神の信仰に立ち返って大空に抱かれようというもので、まさに生と死を超えた交わりを歌ったものだった。

そもそもイタリアやフランスのような国では長い間、復活祭に先立ってイエスの「受難」を追体験する「四旬節」の期間には、世俗の音楽や芝居の上演が禁止されていたから、代わりに膨大な受難曲や聖歌が生まれ、栄光の神ではなく、「十字架に釘打たれて息絶えるキリスト」という究極的に残酷なテーマの芸術作品があふれた。それを毎年繰り返しているわけだから、「キリストの死」がタブーではなく希望の象徴だという伝統が、少なくとも、年に一度は誰の目にも見えるし耳にも聞こえてくるわけだ。

イタリアにはもちろんその蓄積があり余るほどにある。葬儀という通過儀礼を保障する装置が充実しているわけだが、この新型コロナ感染症の死者の多さと感染力の強さのせいで、葬儀が中止になる例が続出した。ところが、この危機の期間がちょうど復活祭に重なったこともあり、生者と死者をつなぐ祈りと希望を表現する数々のアート作品が配信されたのだ。それを思うとまるで、ベルガモの人々が「犠牲の仔羊」であるかのように思えてくる。

†命と健康

パンデミックを前にして、多くの政府が、「経済よりも命を救う」と称して経済活動を一部停止させ、人々の移動の自由を制限した。それは一見、人道的な選択であるかのように見えるが、一方で経済活動の停止によって生活が破綻し、離れた場所に住む家族に会えない、学校にも行けない、新型コロナの感染症かどうかにかかわらず、病人の見舞いにも行けず、家族の死に目にも会えず葬儀もできない、自由を奪われて隔離されるストレスで家庭内暴力や依存症、心身症が深刻化するなどの様々な事態が出現した。

こうして、国家が、ウイルスから、病から、死から人々を守ると言いながら、人々は、生の意味も死の意味も奪われてしまうという過去に例を見ない非人間的世界が出現したのだ。

思えば、パンデミックを宣言した国連世界保健機関（ＷＨＯ）の定義する「健康」とは、単に病気や障害がないだけではなく、「身体的、精神的、社会的に良好な状態（well-being）」となっているが、そこに「霊的」という言葉をつけ加えるべきだと議論されたこともあった。多くの先進国が「弱者を守る」という目的で実行したロックダウンや自粛要請などの政策は、皮肉にも、それまで高齢であっても持病があっても、それらと折り合いをつけながらなんとか「良好な状態」で生きていた人々から「健康」を奪い取る結果となった。

二一世紀の先進工業国ではどこでも、新自由主義経済が成長し、効率第一主義であるだけではなく、医学や技術の発展で平均寿命も飛躍的に伸びている。そして多くの人々は、分断された消費者として都市圏に住むようになった。死や病気は日常生活から隠され、医薬産業もまた利益率増大という資本主義のロジックによって運営される傾向が進んだ。それはキリスト教文化圏の国でも同じだ。だからこそ、思いがけない感染症に襲われた時に、病床、医療機器、防護服、治療者などの不足が露呈したことが医療崩壊を招いたのだ。

その修羅場における絶望やパニックは、格差が広がるばかりのグローバリゼーションの無力さを突きつけることになった。あれだけ無敵だと思われていた人工知能の技術、合理的だと思われていた各種生産拠点のコストの少ない途上国への移転、環境資源の搾取と管理、物流を伴わない金融経済などがパンデミックを前にして、すべて考え方の転換を迫られることになった。

†キリスト教とコロナ禍

それでも、肥大化して変質する資本主義を牽引してきた西洋が、新型コロナウイルスの「発祥地」とされた中国よりもはるかに激越な形で感染爆発に見舞われることになったのは、結果的に意味があることだった。ローマ・カトリックのお膝元であるイタリアで、しかも復活祭の時期にそれが起こったことで、人々は、死や病に関して培われてきた宗教のレガシーを脊髄反射的に活性化することになったからだ。

キリスト教は死と病にルーツを持つ宗教である。ローマ帝国支配下のパレスチナで教えを説いたナザレのイエスは、当時形骸化していたユダヤ人の律法遵守主義に異を唱え、救いとは律法遵守によるものではなく、困難な状態にある隣人に手を差し伸べることにあると断言した。

イエスは、各地で心身の病や障害を抱える人々を癒してまわり、「奇跡の治療師」として名声を轟（とどろ）かせた。彼が癒した者の中には、既に息絶え埋葬されてしまった人さえいた。しかし、神の業を施すカリスマとして多くの信奉者に付き従われたにもかかわらず、彼の言動を快く思わない神殿の祭司たちに捕らえられて冒瀆罪（ぼうとくざい）に問われてしまう。さらにイエスは、ローマ帝国の官憲に引き渡されて無抵抗で鞭打たれ、辱められ、反逆者として生きたまま手足を十字架に釘打たれて苦しみながら窒息死する。

そのイエスが復活したからこそ、キリスト教は死に打ち克つ宗教として広まった。それまで、神とは全知全能の強い「父」のイメージであり、人間の生殺与奪（せいさつよだつ）をほしいままにするものだったのに対し、キリスト教は、創造者としての「父なる神」、人々を癒し続けたのに自分自身は苦しみ惨殺されることを人として受け入れた「子なる神（イエス）」、人々に働きかけて癒す「聖霊」とを「三位一体」の神とした。

こうして、人々に降りかかる様々な災厄からの救いを祈り、犠牲や供物（くもつ）を捧げて請い願うような多神教や民間信仰とは、まったく別のタイプの宗教が誕生することになった。

人間社会で一番古く、普遍的に存在する信仰体系は、自然の災厄や疫病、生老病死といった実存的危機を前に、それらを引き起こしたり制御したりする「外側」の力に働きかけて、危機を避けたり緩和したりする装置を設定することから始まっている。

病や死はそれだけではネガティヴなものだから、共同体を無事に存続させるためにはそれらを浄化し、昇華する手続きが必要だった。そこから「穢れ」や「禁忌（タブー）」といった考え方が生まれてくる。したがって、「穢れ」とは絶対的なものではなく、ある体系、秩序を維持するために相対的に不都合とされたものだ。

「穢れ」を浄化するために祈ったり、逆に聖なるものとして祀り上げたりすることもある。災厄は、天罰や神罰や前世の報いだけでなく、非業の死を遂げた者が怨霊化して引き起こしたものかもしれない。それを鎮めるためにその魂を「神」として祀る方法もまた世界各地にみられる。

一方で、まだ「魂」として慰霊、鎮魂ができていない状態にある「病んでいる人」や、共同体の一員としての役割を果たせない障害を病や事故で得たり、もって生まれてきたりした人は、排除されたり、隠されたり、時として抹殺されたりしてきた。

疾患の種類が、視力、聴力などの感覚器官を奪うものや、手足を失うもの、皮膚に現れて外観を損なう皮膚病である場合は特に人々から恐れられ、感染性のものとなるとさらに忌み嫌われた。また逆に、忌み嫌われるような心身の疾患が感染するかのように恐れられ、患者は、それが共同体に広がらないように、追放されたり隔離されたりした。

イエス・キリストの価値観はそれを転覆するものだった。「強い者と弱い者」「共同体にとっての敵と味方」「規範の追随者と違反者」「善と悪」などの二元論を、彼はことごとく無化した。もちろんそのような過激さは、様々な上下関係を規定する支配者、秩序の維持者にとっては到底受け入れられないものだったために、イエスは殺されてしまったのだ。

それでもイエスの復活を信じる者たちによって、その教えは原始共産制の信仰共同体を生むことになった。彼らはその社会における神々や、神格化した支配者を拝もうとしなかったために「神を崇めない反抗者」として迫害され、おびただしい殉教者が生まれた。にもかかわらず、そのキリスト教が後にローマ帝国の国教となり、大移動してきたゲルマン民族の首長たちに取り入れられたことで、ギリシャ＝ローマ文化とユダヤ＝キリスト教文化、ゲルマン文化のハイブリッドとしての「ヨーロッパ文明」が形成されたのだ。

その後のヨーロッパの歴史は、他の地域と同じように部族や血族の争いの繰り返しであり、国教の全体主義化や強者間の権謀術策の渦巻く中で展開していった。その中でキリスト教の説く教えも、歪曲されたり無視されたり侵害されたりした。

けれども、病や死そのものを「穢れ」とは見なさず、病む人、苦しむ人、障害のある人の尊厳と切り離して考えることは、キリスト教のアイデンティティの根幹に生き残った。

それは疫病という危機的状況において最も表面化した。

ユダヤの律法の世界では、疫病にかかった者が共同体の誰かに近づくときは、「わたしは汚れた者です」と叫ばなければならないとされていた。

イエスによって重い皮膚病から癒されて清くされた人も、祭司のところに行って、自分が癒されたことを証明し、社会に復帰をしてよいという許可をもらう必要があった。そのような世界で、イエスは病者を「汚れた者」として排除しないばかりか、「病者を世話する人は神の子である自分を世話しているのだ」とまで言ったのだ。

†「病」と「病者」

新型コロナウイルスが世界中に広まった時、どの国もウイルスのことを根絶すべき敵であるかのように見なした。それでも、キリスト教文化圏では、病人が忌み嫌うべき存在だと見なされることはなかったし、病人を看護、介護する人たちを避けるなどということはなおさらなく、彼らを英雄として讃えたり、毎日決まった時間に拍手をして感謝を伝えたり、一流シェフが病院に食事を届けたり、アーティストが病院の中庭で演奏したりした。

一方で、残念ながら、日本では感染は恥ずべきものであり、隠さなければならないと思う人たちがいる。感染が発覚すれば「自己責任」だと責められたり、飲食店が風評被害を受けて閉店したり、感染者の家族までもが差別の目で見られたりした。検査結果が陽性となれば無症状でも会社を解雇された例もあり、感染者が出たクルーズ船に乗り込んだ災害派遣医療チームの医師らが職場に戻って偏見の対象になったともいう。

患者を受け入れる病院には他の人が寄りつかなくなるので、救急車が受け入れを拒否される場合も少なくなかった。また、感染病の指定病院や受け入れ施設が近くにあるだけで忌避(きひ)され、検査の場所の公表すら避けられた。ウイルスに侵入、侵襲(しんしゅう)された人や、その人の居場所までもが、ウイルスそのもののように共同体から排除されたのだ。

人間が立ち向かえない実存的な恐怖を前にしたとき、超越的な自然や運命、神との関係が、社会のあり方を変える。それならば、疫病は神と人との関係のリトマス試験紙だとも言えるかもしれない。

「赦しの秘跡」に関する特別の教令を発した一週間後の三月二七日夜、バチカンではフランシスコ教皇が、雨に濡れる誰もいないサン・ピエトロ大聖堂の広場の前で語り、祈り、人々を祝福した。「この世界が戦争や環境破壊で病んでいくのに人間だけが「健康」でいられると驕(おご)っていたところにこのパンデミックが起きたことで、本当に必要なものとは何かが問われている」という趣旨だった。

一方、このコロナ禍における前代未聞のバチカン封鎖に乗じて、カザフスタンのアスタナ補佐司教であるアタナシウス・シュナイダーなどのカトリック内アンチ教皇派は、「このような事態は神が教皇に与えた警告である」として語り始めた。彼らはまた、教会による典礼を禁止したイタリアやフランスの首相のことを、三世紀末にキリスト教徒を大弾圧したディオクレティアヌス帝や、一九〇五年に政教分離法を成立させた過激な反教権主義者のエミール・コンブに喩えた。

それに比べると教皇の言葉の方が明らかにバランスがとれていて、このような危機の時に宗教者が神に対してどう祈るべきなのかを考えさせてくれるものだった。

ヘーゲルは『精神現象学』の「主人と奴隷の弁証法」の中で、「主を畏れることは知恵のはじめである」という旧約聖書の言葉を引き合いに出した。旧約聖書の「主」とはもちろん「神」のことだが、ヘーゲルにとっての「主」とは「死」だった。「死」を現実的に考えることで初めて人は悟る。戦争において、前線の兵士の間では信仰や宗教的感情が一気に高まることはよく知られている。

先進国がエコロジーに目覚め、AI革命の臨界点を語り始めた二一世紀に起こったパンデミックと、それが引き起こした政治的、社会的、経済的な嵐は、人々に、神との関係の再考を促している。

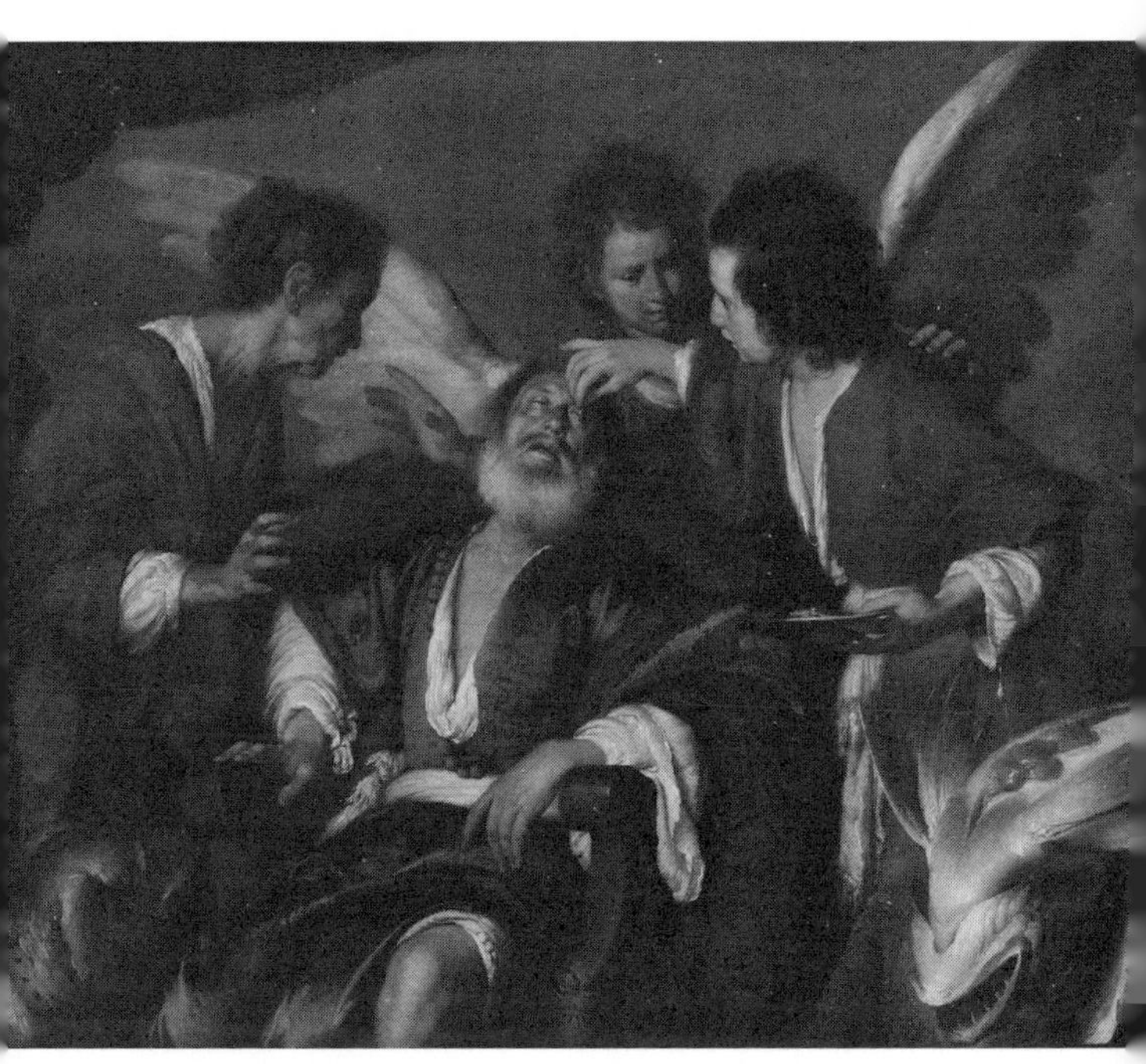

第 1 章

疫病は聖書でどう描かれたか

ベルナルド・ストロッツィ「トビトの治癒」（17世紀、メトロポリタン美術館所蔵）

ギリシャ神話と癒し

ギリシャ神話の世界では男神アポロンが罰と癒しの両方を司った。その息子はアスクレピオスという「医神」であり、今でもヨーロッパでの医学のシンボルになっている。ヨーロッパの多くの病院にはエスクラピウス（アスクレピオスのラテン名）の像がある。ＷＨＯ（世界保健機関）の紋章も、蛇が巻き付いたアスクレピオスの杖だ。らせん状に杖を巻く蛇は、生と死が交互に現れること、毒と薬が表裏一体であることを示し、そうした考え方は後のワクチンにまで投影されていると言われている。

アスクレピオスは、医学の師であるケイローンのもとで薬草による治療を学んだ。その後、万病を癒し、病人の夢に現れて治療法を示唆することもあった。父アポロンは罰として人々にペストをもたらしたが、アスクレピオスは重症者も治し、死者までも蘇らせてしまった。

しかし、冥府（めいふ）を司る神ハデスは、「アスクレピオスのせいで死者数のバランスが崩れてしまう」とゼウスに訴え、それを聞いたゼウスは自然の秩序の乱れを防ぐためにアスクレピオスに雷を落として殺してしまう。アスクレピオスには医術を継ぐ四人の孫娘がいたが、そのうちのヒギエイア（衛生）、パナケイア（健康）の二人が、アポロン、アスクレピオスと共に、「ヒポクラテスの誓い」の文言に喚起されている。

ギリシャ人はアスクレピオスを祀る神殿の聖域で病回復の祈願をし、その神殿の祭司は医師を兼ねていた。つまり、基本的に病は悪魔からくるもので、神だけがそれと戦うことができるとされた。

「西洋医学の父」と呼ばれるヒポクラテス（BC四六〇〜三七七）も、自らをアスクレピオスの子孫だと称していた。神の力を請うて病を治すという営み自体は、ギリシャだけでなくヨーロッパの古代社会にも多く見られたもので、そのため数々の聖地や奇跡の泉が存在する。病人とは「憑かれた者」であるという含意が広く付与されていたことがわかる。

「奇跡＝ミラクル（minari）」は「驚く」という言葉と同じ語源を持つ。一世紀の初め、ナザレのイエスは人々に「奇跡の治癒」をもたらしたことで信奉者を集めたが、その頃のギリシャでは、「神頼み」は既に下火になっており、それよりも大切なのは「知恵」だった。

パウロが「コリントの信徒への手紙一（一章二二節）」で「ユダヤ人はしるしを求め、ギリシア人は知恵を探します」と言っているように、キリストの復活のような奇跡は、ギリシャ人たちを信仰に導くことはないどころか、「躓き」にさえなった。いわゆる終末論とそれに伴う救世主願望もユダヤ教から生まれたもので、ギリシャ的ないわゆる「円環宇宙」という発想とは真っ向から対立する。このように、ユダヤ＝キリスト教における集団概念としての「世界の終わり」はヘレニズム世界とは相いれなかった。

†イエスと使徒たち

それに対して、イエスとその使徒たちが「奇跡の治癒」をもたらしたのは、世界の終わりの審判において人々に「救いをもたらす」ことに説得力をもたせるためだった。病人や障害者に出会った時、イエスが彼らに授けたのが「救い」だった。救いとは「罪の赦し」のことであり、その「救いの業」を担保するものが病の治療だったのだ。「マタイによる福音書」には次のような場面がある。

人々が中風の人を床に寝かせたまま、イエスのところへ連れて来た。イエスはその人たちの信仰を見て、中風(ちゅうぶ)の人に、「子よ、元気を出しなさい。あなたの罪は赦される」と言われた。ところが、律法学者の中に、「この男は神を冒瀆(ぼうとく)している」と思う者がいた。イエスは、彼らの考えを見抜いて言われた。「なぜ、心の中で悪いことを考えているのか。「あなたの罪は赦される」と言うのと、「起きて歩け」と言うのと、どちらが易しいか。人の子が地上で罪を赦す権威を持っていることを知らせよう。」そして、中風の人に、「起き上がって床(とこ)を担(かつ)ぎ、家に帰りなさい」と言われた。その人は起き上がり、家に帰って行った。群衆はこれを見て恐ろしくなり、人間にこれほどの権威をゆだねられた神を賛美した。（「マタイによる福音書」九章二〜八節）

イエスにとっては、罪を赦すことこそが救いであり、それは「父なる神」から自分にだけ託された、この世で病を治すよりも重要な使命だった。けれどもその「罪の赦し」は目に見えない。人々が救いを信じるためには、目に見える驚くべき奇跡が必要だ。「信じる者は救われる」という命題を成立させるためには、「奇跡の治癒」が先行せざるを得なかった。

とはいえ、キリスト教における「救い」とは、神の国という「永遠」への参画であるから、この世での健康維持や回復とは別の次元にある。イエス・キリストの死と復活によってすべての人の罪が贖われるという「福音」をキリスト教が伝えようとした時、「異教＝多神教」社会で広く行われていた、魔術師や祭司による様々な「癒しの術」は大きな妨げになった。その後、魔術的な異教勢力にキリスト教が勝利し、キリスト教式効験が人々のあいだに定着するのは、初期に激しい迫害を受けた、おびただしい殉教者の存在のおかげだった。

三一一年には、三〇三年に発令されていたキリスト教徒迫害令をガレリウスが停止した。

三一三年にキリスト教を公認したコンスタンティヌス帝は、三二五年にニカイア公会議を開いてキリスト教を「公教」として確立した。コンスタンティヌス帝の母ヘレナもキリスト教に帰依(きえ)してエルサレムに巡礼し、キリストの十字架の木片や釘、脇腹を刺した槍や、幼子(おさなご)イエスを礼拝したという「東方の三博士」の遺骸などを持ち帰ったと言い伝えられている。

三二四年、ローマ帝国の首都は、「第二のローマ」とされた東方のコンスタンティノープルに移り、その後三九二年にキリスト教はローマ帝国の国教となるが、ローマの司教は首都となったコンスタンティノープルの皇帝や司教と首位権を争うことになる。

イエスの聖遺物(せいいぶつ)はないにしても、ローマにはペトロやパウロの墓があるし、長い間迫害されてきたキリスト教徒のカタコンベ(地下墓所)もある。その無数の骨が、殉教者の聖遺物として、ローマ帝国下のヨーロッパ各地に持ち帰られ、殉教聖人による神へのとりなしを祈る様々な典礼が、キリスト教に改宗したゲルマン民族の王やケルト民族の有していた呪術や魔術、占いのシステムを上書きしていった。

ここからは、ヘレニズム世界に広がったキリスト教が、古代の病と治癒の関係をどのように変えていったのかをもう少し見てみよう。

†旧約聖書と疫病

「病」の概念は旧約聖書の中でも変化してきた。一般に、聖書における病気の描写は決して詳細なものではない。皮膚病の多くは「癩病（らいびょう）」とだけ記述されたし、いくつかの感染症は熱病かペストと呼ばれることが多く、他には、盲目、麻痺、跛行（はこう）などの障害や、傷、瘤、膿などの症状として描かれた。

実際には、当時の死因は外傷による失血や化膿によるものを別として、結核やマラリア、少し後にはハンセン病が多かったと考えられる。もとより旧約聖書は一続きの物語ではなく、病に関しては、肉体の苦しみに対する社会的視線の変化を少しずつうかがうことができる貴重な資料だとも言える。

その旧約聖書の最も古い部分では、主として「病と罪との関係」が強調されてきた。「モーセ五書」と呼ばれる律法の書の最後にあたる「申命記（しんめいき）」は、モーセを通じて神が与えた数々の律法に従うことの大切さをあらためて告げたものだ。常に神を想起して従うことを民に誓わせ、律法を復習して、神を怒らせないようにと警告する。

モーセは「民が主のおきてを忠実に守らなければ呪われる」と告げ、さらに「あなたが悪い行いを重ねて、わたしを捨てるならば、あなたの行う手の働きすべてに対して、主は呪いと混乱と懲らしめを送り、あなたは速やかに滅ぼされ、消えうせるであろう」と言い、「主は、疫病をあなたにまといつかせ、あなたが得ようと入って行く土地であなたを絶やされる」とし、その病名まで具体的に挙げる。

「主は、肺病、熱病、高熱病、悪性熱病、干ばつ、黒穂病、赤さび病をもってあなたを打ち、それらはあなたを追い、あなたを滅ぼすであろう」とし、さらに、「はれ物、潰瘍、できもの、皮癬などであなたを打たれ、あなたはいやされることはない。（…）主はまた、あなたを打って、気を狂わせ、盲目にし、精神を錯乱させられる」（「申命記」二八章二〇〜二三節）と続けている。

何世紀も奴隷として留まっていたエジプトから、モーセに導かれて脱出したイスラエルの民は、すぐに「約束の地」カナンに向かったわけではなく、四〇年間もさすらうことになった。モーセの神は「他の神々」を拝むことを禁じたが、民は、ヨルダン川の東のほとりにあるモアブの娘たちと通じて、彼女らが信仰する神々を拝むようになる。神はそれに怒り、疫病で二万人以上を殺してしまう。このように、唯一神信仰とは「他の神々を諦める」ことでもあったのだ。

こうして病を得た個人もそれを自分の罪の結果だと嘆いている。「詩編」三八章の嘆きはすさまじい。

まず病者は、「主よ、怒ってわたしを責めないでください。憤って懲らしめないでください。(…)わたしの肉にはまともなところもありません/あなたが激しく憤られたからです。骨にも安らぎがありません/わたしが過ちを犯したからです」と自らの過ちを認める。

さらに「わたしの罪悪は頭を越えるほどになり/耐え難い重荷となっています。負わされた傷は膿んで悪臭を放ちます/わたしが愚かな行いをしたからです。(…)腰はただれに覆われています。わたしの肉にはまともなところもありません」と満身創痍の様子で、「疫病にかかったわたしを/愛する者も友も避けて立ち/わたしに近い者も、遠く離れて立ちます」と悲惨な状況を訴える。

驚くべきことに、これらの記述の中では、「治療」というコンセプトがまったく重んじられていない。病は罪の報いとして与えられた罰なのだから、正しく改悛さえすれば治療はしなくても快癒すると考えられていた。

†病の診断と対処法

神こそが生と死、健康を司る。

「もしあなたが、あなたの神、主の声に必ず聞き従い、彼の目にかなう正しいことを行い、彼の命令に耳を傾け、すべての掟を守るならば、わたしがエジプト人に下した病をあなたには下さない。わたしはあなたをいやす主である」（「出エジプト記」一五章二六節）とあるように、イスラエルの民は、神が自分たちを救うために、エジプト人に対して、疫病だけではなく、アブやイナゴの群れを送り、雹を降らせ、すべての初子の命を奪うなど残酷なことをしたのを知っている。

神とは、選ばれた民だけではなく、すべての人間の生殺与奪をほしいままにしている。その中でも「疫病」は主なる神の下す裁きの重要な要素である。「主の手は、野にいるファラオの家畜、馬、ろば、らくだ、牛、羊の群れに極めて重い疫病をもたらす」（「出エジプト記」九章三節）し、バビロンに捕囚されたイスラエルの民にも、偶像崇拝をして罪を犯すなら「疫病を送り、わたしの怒りをその上に血と共に注ぎ、そこから人も家畜も絶ち滅ぼす」、そして「四つの災いをもたらす裁き、すなわち剣と飢饉と悪い獣と疫病を」送るなどと脅している（「エゼキエル書」一四章一九節・二一節）。

それゆえイスラエルの民の誰かが病気にかかって治療を望む場合は、まずは祭司に見せることになっていた。「レビ記」（一三～一四章）には皮膚病に関する診断の基準が事細かに述べられている。患部を詳しく調べ、疥癬、やけど、ハンセン病など、症状によって一週間の隔離をして、その後の症状の進展によって「清い」か「汚れている」かの判断をする。

衣服や革製品に発生したカビについても祭司が判断する。「汚れている」のが、犯した罪に由来する「自己責任」であるのは当然だ。「重い皮膚病にかかっている患者は、衣服を裂き、髪をほどき、口ひげを覆い、「わたしは汚れた者です。汚れた者です」と呼ばわらねばならない。この症状があるかぎり、その人は汚れている。その人は独りで宿営の外に住まねばならない」（「レビ記」一三章四五〜四六節）とあり、ハンセン病と診断されたものについてはさらに具体的な治療の手順が書かれている。

まず、祭司は宿営の外で患部を確認し、患部が既に癒えていれば、生きた鳥二羽などを用意させ、一羽を屠り（ほふ）その血を患者に振りかけて清めた後で、生かしておいた鳥を野に放つなどの処置をする。患者は衣服を洗い体毛を剃り、水で清め、七日間の隔離を経てさらに同じことを繰り返してから、八日目に「欠陥のない雄の小羊二匹と、欠陥のない一歳の雌の小羊一匹、それに穀物の供え物として油を混ぜた上質の小麦粉十分の三エファと油一ログとを取りそろえ」させて、祭司がそれらを主の前に奉納物として差し出す。

その「償いのいけにえ」の血や油を自分の手や患者の体に注いだり浸したりして、「汚れから清められる人のために贖いをする」。祭司が祭壇で焼き尽くすいけにえと、穀物の供え物を献げて患者の償いを取り次ぐことで患者は清くなる（「レビ記」一四章三〜二〇節）。すなわち治癒され得るのだ。

†預言者による治療

さらに、一般的な祭司ではなく、特定の預言者が治療に携わることもある。「列王記」ではエリヤやエリシャなどの預言者の例が述べられている。

エリヤを泊めて世話した未亡人の息子が病気で息をひきとった時、未亡人はその不当さに文句を言った。「神の人よ、あなたはわたしにどんなかかわりがあるのでしょうか。あなたはわたしに罪を思い起こさせ、息子を死なせるために来られたのですか」。

そう言われたエリヤは、彼女から息子を受け取り、階上の自室に抱いて行って寝台に寝かせ、「主よ、わが神よ、あなたは、わたしが身を寄せているこのやもめにさえ災いをもたらし、その息子の命をお取りになるのですか」と祈った。さらに子供の上に三度身を重ね、「主よ、わが神よ、この子の命を元に返してください」と祈ると、主は子供の命を返した。それを見た母親は「今わたしは分かりました。あなたはまことに神の人です。あなたの口にある主の言葉は真実です」と信仰を宣言した（「列王記上」一七章一七節〜二四節）。

これは「償い」によって治癒されるのではなく、恩寵であり奇跡でもある。同じ「列王記」には、別の預言者エリシャについても同様のことが書かれている。

エリシャが過去に世話になった家の息子が死んだという報告が来た。エリシャが赴くと、子供は死んで寝台に横たわっていた。エリシャは中に入って戸を閉じ、二人だけになって主に祈り、寝台に上がって子供の上に伏し、自分の口を子供の口に、目を子供の目に、手を子供の手に重ねてかがみ込むと、子供の体は暖かくなった。その後で起き上がり、家の中をあちこち歩き回ってから、再び寝台に上がって子供の上にかがみ込むと、子供は七回くしゃみをして目を開いたという（「列王記下」四章三二節〜三五節）。

エリヤとエリシャによる奇跡は、どちらも預言者が子供の体に自分の体を重ねるという接触とともに描かれている。頭の上に手を当てて祝福を与えるキリスト教の「按手（あんしゅ）」に至るまで、「触れる」ということと治療には深い関係があったようだ。

†戒律から慈善へ

このように、病や死はすべて罪に対して与えられた「罰」であり、癒しは「償い」と「清め」であると考えられていたが、その後、新約聖書のイエスが現れる少し前のユダヤ世界で大きな転換があった。それが旧約聖書続編の「トビト記」に見られる。なお、旧約聖書続編はヘブライ語では書かれておらず、そのため旧約聖書と新約聖書の間に位置づけられている。

トビトはアッシリア捕囚時代のユダヤ人の敬虔（けいけん）な男で、親族や同胞が異教徒の習慣に従って暮らしているなかで律法の教えを守り、同族に対する慈善を行っていた。飢えた人々に食べ物を与え、裸の人々には着物を着せ、また死体がニネベの城外に放置されていれば埋葬した。王に殺されて投げ捨てられた死体があると聞けば、食事中であっても引き取りに行った。しかし、近所の人々はそんなトビトをあざ笑った。

ある時、トビトが死体を埋葬した後で体を清め、中庭で仮眠をしているとスズメの糞が両目に落ちて、それがもとで失明してしまう。彼にとって残された希望は、息子のトビアだけとなった。トビアは父から、人に預けた金を回収するようにと言われて旅に出る。それに同行したのが大天使ラファエルだった。金ばかりでなく、伴侶を連れて帰ったトビアが、ラファエルに指示されて釣り上げた魚の胆のうを父の目に塗ると、父の目の白い膜が縮んで剝がれ、視力を回復した。天使の名のラファエルとは「神は癒す」という意味である。

この話で注目されるのは、失明の原因はトビト自身の罪ではないということだ。彼は主が天使を遣わせるほどに敬虔な人間だった。失明の原因はスズメの糞という外因性の事故で、それが起きたのも、もとはといえば慈善で行っていた埋葬がきっかけだった。つまり、失明はトビトの善行とは関係なく「悪運」のせいで起こったアクシデントであった。

そもそも、路上に放置された死者の埋葬が慈善とされていることからも、当時の社会が死を「穢れ」とは見なしておらず、律法の初期時代とは既に異なっていることがわかる。見捨てられた人を救うことも、視力障害を薬によって治すことも、それまでにあった「罪の清め」とは異なる。しかもその治療は、司祭でも天使でもなく人間によって施されたものだ。

トビトは息子のトビアにも、「飢えている人に、お前の食物を、裸の人にはお前の衣服を分け与えなさい。余分なものはすべて施しなさい。施しをするときは喜んでしなさい」（「トビト記」四章一六節）と教え、ラファエルも「慈善の業(わざ)は、死を遠ざけ、すべての罪を清めます。慈善を行う者は、幸せな人生を送る」（「トビト記」一二章九節）と父子に告げる。

ここでは、「神に従わない罪」「他の神を拝む罪」を犯さないという、各種の戒律を遵守することによって、疫病や不幸、死を遠ざけられるという考えではなく、必要とする人に自分のものを分け与えることで、人は幸せな人生を送ることができるというポジティヴな教えが述べられている。つまり、「何々するなかれ」という戒めから、「何々せよ」という勧めに変化しているのだ。

これはそのまま、のちに新約聖書でイエスが弟子たちに語った「救い」の条件とも重なる。イエスは、「律法を守れば天国に迎えられる」のではなく、「私が飢えていたときに食べさせ、喉が渇いていたときに飲ませ、よそ者であったときに宿を貸し、裸のときに着せ、病気のときに世話をし、牢にいたときに訪ねてくれた」（「マタイによる福音書」二五章三六〜三七節）人が主に祝福されるのだと言っている。

「律法」は神から与えられたものではあるが、神そのものではない。神を信じるかどうかは問題とされず、神に従う＝「律法を守る」かどうかが共同体にとっての優先事項だった。そんな旧約聖書の世界において、イエスの登場を可能にする萌芽が少しずつ生まれていた。

†痛めつけられるヨブ

「トビト記」とほぼ同時代に書かれたといわれる「ヨブ記」では、それまでの「病＝罪」という考え方が既に消失しているのがさらによくわかる。ここでは、病によって完膚なきまでに痛めつけられるヨブは罪人であるどころか義人であるし、ヨブに不幸や病をもたらす「責任者」は神ですらない。

トビトの失明は、スズメの糞が両眼に落とされたという事故によるものだったが、ヨブの不幸はサタンの手によるものだ。サタンは、神を畏れ、悪を避けて生きている無垢な僕であるヨブを高く評価する神に対し、「恵まれた環境を奪われればヨブも神にたてつくに違いない」と挑発する。

サタンは神の合意を得て、ヨブの子供たちの命を奪うなどの不幸を与えるが、ヨブの信仰は揺るがない。それでも、「さらに体の健康を奪えばさすがのヨブも信仰を捨てるだろう」とサタンは言う。そして再び神から「それでは、彼をお前のいいようにするがよい。ただし、命だけは奪うな」と合意を得て、「ヨブに手を下し、頭のてっぺんから足の裏までひどい皮膚病にかからせた」（「ヨブ記」二章六～七節）。

これにはさすがのヨブも「なぜ、わたしは母の胎にいるうちに死んでしまわなかったのか。せめて、生まれてすぐに息絶えなかったのか」（同三章一一節）と嘆いたが、それでも神を呪う言葉は最後まで口にしなかった。とはいえ、苦しみの中でヨブは神に問いかける。「わたしに罪があると言わないでください。なぜわたしと争われるのかを教えてください。手ずから造られたこのわたしを虐げ退けて／あなたに背く者のたくらみには光を当てられる。それでいいのでしょうか」（同一〇章二～三節）。

彼の問いは論理的だ。それを聞いたヨブの友人たちはまだ「病＝不幸」が「罪＝罰」の結果だと考えているので、そう問いかけるヨブを諌めるが、ヨブは「あなたたちの知っていることぐらいはわたしも知っている。あなたたちに劣ってはいない。わたしが話しかけたいのは全能者なのだ。わたしは神に向かって申し立てたい」（同一三章二～三節）と考えを変えなかった。

神は、ヨブの申し立てには耳を貸さなかったが、ヨブが悔いると、最終的に病は癒され、財産も倍となり、新たに子供にも恵まれたヨブは孫四代を見るという繁栄を得た。それだけではない。ヨブが病んでいる時に彼の罪を疑った人々も、神は罰しなかった。信仰が神の怒りを鎮めたのだ。このことからヨブは、信仰の薄い者の救いを神に「とりなす」ことのできる聖なる者だとされた。たとえ罪ある人でも、聖人に祈れば神にとりついでもらえるという聖人崇敬の原型がこの時にできたのである。

†治療するメシア

「トビト記」や「ヨブ記」に表れた病と罪との関係は、そのまま新約聖書にも受け継がれている。

新約聖書のメッセージの中心には「体へのケアと病の治癒」がある。最も初期に伝えられたといわれる「マルコによる福音書」では、まず、痙攣を起こす「汚れた霊」をイエスが会堂で追い出した様子が語られ、その後も各種の治癒例が続く。

最初の治癒は、漁の途中でイエスに呼ばれて付き従ったばかりのシモン（のちにペトロと呼ばれる）の姑に施された。

既に会堂での悪霊祓いが人々に知られていたので、会堂を出てシモンの家へ向かうイエスに、人々はシモンの姑が熱を出して寝ていることを告げる。イエスが側に行き、手を取って起こすと熱は去り、彼女は一同をもてなすほどに元気になった。日没後に、人々がイエスのもとに連れてきた病人や、悪霊に取りつかれた大勢の人たちをイエスは癒し、多くの悪霊も追い出したとある（「マルコによる福音書」一章三〇〜三四節）。

イエスは、病や障害が「罪」とは関係のないことを、弟子たちの問いに答える形で明言した。一行が、生まれつき目の見えない人を見かけた時、弟子たちはイエスに「ラビ、この人が生まれつき目が見えないのは、だれが罪を犯したからですか。本人ですか。それとも、両親ですか」と尋ねた。

それに対し、イエスは「本人が罪を犯したからでも、両親が罪を犯したからでもない。神の業がこの人に現れるためである」（「ヨハネによる福音書」九章一〜三節）と明確に答え、失明者に処置をしてから、シロアムの池に行って目を洗うように言い、その通りにしたところ、彼は目が見えるようになった。

イエスが行う数々の「神の業」のなかでは、病気の治癒が圧倒的に多かった。彼はローマ帝国の属領であるイスラエルの民の政治的救済者としてではなく、何よりも「奇跡の治療者」であるメシア（救い主）として人々の前に現れた。

とはいえ、イエスが数々の奇跡を起こした町でも、その教えを聞いても悔い改めないままの人は多かった。イエスが活動を始める前に、ヨルダン川で彼に洗礼を授けた再々従兄に当たるヨハネは既に投獄されていたが、そのヨハネさえもイエスが「救世主＝キリスト」なのかどうか確信が持てなかった。

ヨハネはイエスの評判を牢の中で聞き、弟子たちを送って、「来るべき方は、あなたでしょうか。それとも、ほかの方を待たなければなりませんか」とイエスに尋ねさせた。イエスは彼らに、「行って、見聞きしていることをヨハネに伝えなさい。目の見えない人は見え、足の不自由な人は歩き、重い皮膚病を患っている人は清くなり、耳の聞こえない人は聞こえ、死者は生き返り、貧しい人は福音を告げ知らされている」（「マタイによる福音書」一一章二〜五節）と答えた。

イエスが持つ治癒の力は、救世主としての本質的な部分に関わっている。彼は奇跡を実現するからメシア（救世者＝キリスト）なのではなく、キリストであるから奇跡の治癒を施すのだ。言い換えると、イエスから力を授けられて人々を癒す弟子たちはメシアではないが、イエスの業の一端に参加している。

後に、聖職者たちは治療院で働く修道女たちから悪魔祓い師に至るまで、その伝統を受け継ぎ、患者を世話するあらゆる医師や看護師、介護士らを「聖職」従事者のようにリスペクトする意識が醸成された。

とはいえ、イエスによる治癒が「救いの福音」を伝える手段であったことは変わらない。

この世で自ら手を下して治癒をすることの限界を知ったイエスは、七二人の弟子を任命して、自分が行くつもりだったすべての町や村に二人ずつ先に遣わすことにした。

その時に、「どこかの町に入り、迎え入れられたら、出される物を食べ、その町の病人をいやし、また、「神の国はあなたがたに近づいた」と言いなさい」（ルカによる福音書」一〇章八〜九節）と送り出したことからもわかるように、「癒し」は福音を伝えるために必要な賜物（たまもの）として彼らに与えられた。「使徒言行録」によれば、イエスの昇天後もペトロ、ヨハネ、パウロらが奇跡の治癒を施して回った。

今でも、「奇跡の治癒」に起因する聖人崇敬や巡礼地が多くあるし、「奇跡の治癒」を施すことで信徒を集める宗派も少なくない。けれども、一般の司祭が「奇跡の治癒」を施さなければならないわけではもちろんない。イエスが語っているのは、「癒し」と「神の国」との関係であり、「奇跡の治癒」の能力が神の国を保証するということではないからだ。すべての治癒は神の国を想起させる。したがって、すべての「医学の進歩」には救世主の業があると考えられるようになった。

†「救い」の変遷

前述したように、イエスが「救い」の条件とした慈善は、「飢えていたときに食べさせ、喉が渇いていたときに飲ませ、よそ者であったときに宿を貸し、裸のときに着せ、病気のときに世話をし、牢にいたときに訪ね」(「マタイによる福音書」二五章三六～三七節)るというように、すべて弱者の身体的な世話と支えに関わっている。マタイが「最後の審判」に託して記述したこの救いの条件について、ルカはイエスの喩え話として語っている。「ルカによる福音書」(一〇章二五～二七節)にある有名な「善きサマリア人」の話だ。

ある律法の専門家が立ち上がり、イエスを試そうとして「何をしたら、永遠の命を受け継ぐことができるか」と質問をした。イエスは逆に、「律法に何と書いてあるか」と尋ね、「「心を尽くし、精神を尽くし、力を尽くし、思いを尽くして、あなたの神である主を愛しなさい、また、隣人を自分のように愛しなさい」とあります」という答えを引き出した。最後のものは、旧約聖書の「レビ記」の「復讐してはならない。民の人々に恨みを抱いてはならない。自分自身を愛するように隣人を愛しなさい」(「レビ記」一九章一八節)からきたものだ。イエスはさらに、ではその「隣人」とは誰なのかについて説明する。

「ある人がエルサレムからエリコに下って行く途中、強盗どもが彼を襲い、その着物をはぎ取り、傷を負わせ、半殺しにしたまま、逃げ去った。するとたまたま、ひとりの祭司がその道を下ってきたが、この人を見ると、向こう側を通って行った。同様に、レビ人もこの場所にさしかかってきたが、彼を見ると向こう側を通って行った。

ところが、あるサマリア人が旅をしてこの人のところを通りかかり、彼を見て気の毒に思い、近寄ってきてその傷にオリーブ油とぶどう酒を注いでほうたいをしてやり、自分の家畜に乗せ、宿屋に連れて行って介抱した。翌日、デナリ二つを取り出して宿屋の主人に手渡し、「この人を見てやってください。費用がよけいにかかったら、帰りがけに、わたしが支払います」と言った。

この三人のうち、だれが強盗に襲われた人の隣人になったと思うか。」

彼が言った、「その人に慈悲深い行いをした人です」。そこでイエスは言われた、「あなたも行って同じようにしなさい。」（「ルカによる福音書」一〇章三〇〜三七節）

サマリア人はユダヤ人から敵だと見なされていた部族だ。

ここでは、「自分自身を愛するように隣人を愛しなさい」という伝統的な律法の解釈が説かれている。にもかかわらず、ここでイエスがいう「隣人」とは、ユダヤ人とサマリア人が何世紀も前に分かれてしまった敵と味方であることとは関係ない。

それればかりではない。そこで「愛しなさい」と語られる行為の内容は、必ずしも愛情ある関係を保持するというものではない。情緒的に誰かを好きになるということでもない。

イエスは傷ついた人の手当てをして、何の見返りもないまま、他の人にその後の世話を託したのだ。

ここで明らかにされているのは、イスラエルの民という「選ばれた共同体」の互助や秩序を維持するための処世を離れて、誰であれ肉体的に苦しんでいる人、窮地にある人に寄り添い、世話や手当てをして見守るという行為こそが慈しみであり「愛する」ことだという、キリスト教の普遍的で革命的な「救い」のコンセプトにほかならない。

旧約聖書の神による一方的な裁きとは違い、ここでは具体的な行為によって救いの基準が明らかにされている。神を敬わない集団が裁かれるのではなく、一人ひとりが人に向けて行う社会的行為によって判断されるということは革命的な変化だった。人が「より小さい者」に手を差し伸べるかどうかで、その信仰が真正かどうかを神が決める。たとえ律法を遵守していても、弱者を救うという具体的な行動と成果がないのなら、その信仰は偽物だと見なされるようになった。

†疫病と世界の終わり

このように新約聖書の挿話によって、キリスト教が原罪と神罰の概念を劇的に変えたにもかかわらず、ユダヤ＝キリスト教文化圏においては「終末論」と「最後の審判」を恐れる伝統が心性の底に根強く刻まれていた。キリスト教が生まれた頃には、「終末」は近いと思われていたし、その後の原始キリスト教共同体が激しい迫害にあった時に「黙示録（アポカリプス）」が書かれ、世界の終わりの恐ろしいイメージが集団意識に刷り込まれることになる。イエス自身も「世界の終わり」を予告している。


ある人たちが、神殿が見事な石と奉納物（ほうのうぶつ）で飾られていることを話していると、イエスは言われた。

「あなたがたはこれらの物に見とれているが、積み上がった石が一つ残らず崩れ落ちる日が来る。」

そこで、彼らはイエスに尋ねた。「先生、では、そのことはいつ起こるのですか。また、それが起こるときには、どんな徴（しるし）があるのですか。」

イエスは言われた。「惑わされないように気をつけなさい。私の名を名乗る者が大勢現れ、「私がそれだ」とか、「時が近づいた」とか言うが、ついて行ってはならない。戦争や騒乱があると聞いても、おびえてはならない。こうしたことは、まず起こるに違いないが、それですぐに終わりが来るわけではない。」

そしてさらに、言われた。「民族は民族に、国は国に敵対して立ち上がる。また、大地震があり、方々に飢饉や疫病が起こり、恐ろしい現象や天から大きな徴が現れる。」

（「ルカによる福音書」二一章五〜一一節）

災害や飢饉とともに、疫病とは死に直結するものだった。そして「ヨハネの黙示録」では、以下のような記述が見られる。

小羊が第四の封印を解いたとき、私は、第四の生き物が「行け」と言うのを聞いた。そして見ていると、青白い馬が現れた。それに乗っている者の名は「死」と言い、これに陰府が従っていた。彼らには、剣と飢饉と死と地の獣とによって、地上の四分の一で人々を殺す権威が与えられた。（「ヨハネの黙示録」六章七〜八節）

キリスト教人類学者クリスチャン・グロスが言うように、古代の集合意識では疫病は天変地異と共に、世の終わりを告げるものだった。

さらに、キリスト教の迫害が終わってローマ帝国の国教となり、政治の道具としても使われるようになって終末観は一時遠のいたが、来るべき「世界の終わり」をこの世で人々に思い知らせるのはいつも疫病の役割だった。

ジャン・ドゥリュモーは『西洋の恐怖』（一九七八年）の中で、キリスト教的希望が優位にあった中世と、理性が優位に立った啓蒙の世紀との間にある一四〜一八世紀には多方向への恐怖がヨーロッパを支配していたと分析している。

ペストは一三四七年から一三五二年にかけてヨーロッパの人口の三分の一の命を奪う。その後、一七二〇年のマルセイユでの流行以来二〇年ごとに流行し、時代によって語彙や世界観は違うものの、常に「終末」のイメージとともに人々の恐怖を煽ることになる。

一四世紀までは、ペストは「人類の罪に対する神の罰」という感覚で捉えられてきたが、一七世紀に生まれた科学、医学的な言説により、そのニュアンスは変わった。後に、さらに「衛生」という観念が生まれてから、疫病が神の摂理とともにあるという考えは完全に遠のいた。また、科学の発展だけではなく、伝染病や火事を予防する公共の政策をとる「国家」が登場して進化したことも、その一因と考えられる（第5章参照）。

神学も進化した。直線的な時間観念は受け継がれ、キリストの再臨による「世界の終り」の近代的表現の中にも「最後の審判」のイメージは維持されたが、それは神によって下される罰というより、神の顕現（けんげん）、つまり隠されていたものの開示であると見なされるようになった。

終末に向かう線的時間は「歴史」の中に位置づけられ、イエスの誕生から始まる希望の時間だと見なされた。ユダヤ的な「終末」「救世主」という考え方に「希望」という新しい概念が加わった。そこでは明日の世界は、宿命ではなく我々の自由と決意の結果であるとされた。

†終末論と罪悪感

二〇二〇年に、新型コロナウイルスがヨーロッパに上陸した時、最前線となったのがイタリア、スペイン、フランスというカトリック文化圏の国々であり、しかもキリスト教で最も大切な典礼である復活祭を挟む期間に、すべての公開ミサができなくなるという未曽有の事態になったのにもかかわらず、「神罰」という言葉は一切聞かれなかった。

もともと復活祭に先立つ四旬節は、「世界の終わり」を想起し、イエスのたどった「十字架の道」を追体験する期間であり、コロナ禍の世界は、キリスト者だけでなく全世界の人が共に経験している試練だという連帯感さえ生まれた。オリンピックのような祭典が中止や延期になったということではなく、苦しみや迷いや痛みや終末観に裏打ちされている特異な期間の過ごし方を、カトリック教会は様々に模索してきたが、そのベースにあったのが、神罰観の否定だった。

フランスでは、アルザス地方のミュルーズで二月一七日から一週間開かれた、福音派キリスト教による三〇〇〇人の大集会が最初の感染源になった。フランスでは数少ないプロテスタントのメガチャーチだったため、教会を責める言説もあったが、カトリック教会は終始冷静に行動し、信仰と疫病を関係づけるようなことはなかった。

疫病を前にして、宗教（宗教者）が救いを求める対象になるのか、あるいは悪魔の手先のように見なされるのかは常に紙一重だ。フランスのカトリック教会はそのことを、歴史の中で身をもって体験してきた。

韓国でもキリスト教系新宗教のメガチャーチが感染源となり、責任者が告発されて土下座の謝罪に追い込まれたが、そんなことは今のフランスでは考えられない。神罰観が否定されて以降の歴史のなかで、感染にまつわる罪悪感はもはや生み出されることはない。それは感染が中心部に広がった後も同じで、疫病にまつわる様々な情報は人々に恐怖を与えたが、感染者や、感染者を出した地域や団体が責められることはなく、彼らが謝罪するという現象も見られなかった。

†崩壊学と環境破壊

では、キリスト教の終末観や、旧約聖書の「原罪」から続く罪悪感が消滅したのかというと、そうではない。実は、欧米のキリスト教文化圏の終末論と罪悪感は、特にここ半世紀で別の形に変異した。

それが「崩壊学（コラプソロジー）」である。人類は確かに終末に向かっている。しかしそれを引き起こし、その時期を決めるのは神ではなく人間であり、人間の犯す罪であるという考え方だ。崩壊学は、科学的言説とデータに論拠を置いているので、過去にあった摂理的、道徳的な宗教的世界観とは一線を画している。終末のカタストロフィを引き起こすのは人間の犯す罪なのであり、その中でも特に西洋文明による地球環境への無配慮が原因とされる。天罰という概念は科学的な因果関係へと変わり、神の怒りを生むイスラエルの民の偶像崇拝は、キリスト教文化圏である「西洋」の傲慢がもたらす環境破壊となる。

とはいえ、コロナ禍以前の半世紀における崩壊学では、異常気象と資源の枯渇による人類の滅亡がテーマだった。特定の生物の大量発生や絶滅のように、エコシステムのバランスが崩れることによる危機は以前から語られていたが、それまで人間と接触のなかった野生動物を介するウイルスの登場が崩壊論の新たな論拠となる。

コロナ禍が起こる前年の二〇一九年一一月に、フランスのジョレス研究所が実施した調査では、イタリア人の七一％とフランス人の六五％が、「今日の文明は今後数年で崩壊する」という主張に大方の同意を示していた。崩壊へと向かう複数の要素が、社会の進歩と共に次々とショックの連鎖を引き起こす。さらに「未知のウイルス」がこれに加わり、人々は文明の脆弱性をさらに意識することになった。哲学者ドミニク・ブールは「今の感染症は半世紀間警告されてきた環境崩壊理論を裏付ける」と述べている。

もっとも崩壊学とは、もともとは燃料や食料の枯渇と気候変動による人類の滅亡を説くもので、従来その原因に伝染病は入っていなかった。しかし歴史上、人間がエコシステムを揺るがすたびに生物分布やバランスが崩れ、アフリカのイナゴが大量発生するように、異常増殖して広がる病原体も現れる。コロナ禍以来、崩壊学は黙示録のイメージよりも人々に共有されているともいわれる。

†「感染する」終末論

スイス改革福音教会会長のゴットフリート・ロッシェは、新型コロナウイルスの到来は天罰ではないとわざわざ明言し、「誰かが神に背いたことがこの不幸の原因だとは言えない。この状況は神との関係に由来するのではなく、数々の素晴らしいことと共に悲惨なものも併せ持つ、我々の世界のあり方に由来する」と述べた。

このように宗教の側の言説が天罰から離れて久しいというのに、今は崩壊学の方に、モラルやスピリチュアルといった要素を持ち出す傾向が見られる。しかも、環境破壊を続けること自体の罪に加え、科学的データを否定したり無視したりすることが、さらなる罪であるとされるのだ。

旧約聖書の「出エジプト記」(九〜一三章)において、神は奴隷状態にあったユダヤ人を解放するようにとモーセを通してファラオに伝えたが、それを拒むと、延々と災厄をエジプトに下した。エジプト人の家畜を疫病で殺し、かまどのすすを降らせて人と家畜に膿の出る腫物を与え、それでもファラオが頑なに拒むと、雹を降らして家畜や草木を全滅させた。

次にイナゴが雹の害を免れた小麦などを食い尽くし、さらに、三日間エジプト全土を闇の中に閉じ込めた。最後が「過ぎ越し祭」として後々まで祝われる大量殺人で、徴(しるし)をつけたユダヤ人の家を除いて、エジプト中の人と家畜の「初子」が死ぬこととなった。

災厄によって神から警告されても、ファラオはますます頑なになって従わずに、最悪の事態に突き進んだ。このイメージを「崩壊学」は踏襲している。人間による歯止めが効かない開発と消費によって環境破壊が次々と起こっているのに、一部の大国の指導者たちはそれを否認して、方向転換しようとしない。コロナ禍においても経済を優先して対策を講じなかった「ファラオ」たちの国では「崩壊」が進んだと言われる。

崩壊学はキリスト教的アポカリプスとは袂(たもと)を分かった「科学的予測」に由来する危機意識に拠っているとはいえ、人類の罪に対する神罰の代わりに、人類の傲慢と行き過ぎに対する自然からの復讐という「罪と罰」の構図を踏襲する。崩壊や滅亡、災いを招いた者に自業自得の自責観、罪悪観を植え付けて反省と悔い改めを促すというパターンが、そのまま採用されているのである。

実際には、キリスト教におけるアポカリプスは、カタストロフィだけではなく、もともと希望の言説も内包している。「この世の終わり」とは、「すべてのものの終わり」のことではない。この世の終わりは「救いの神」のうちにあるからだ。その最終目的は「この世の終わり」に罪と罰を見て恐れおののくことではなく、「救い」に至る調和を実現することなのだ。

ウイルスも神も目には見えないが、「見えないものとの関係」を考え、「救い」にとって本質的なものは何かと良心に問いかけることの意味が、疫病の試練の中で見えてくると期待する声もある。二〇一五年に回勅『ラウダト・シ』によって科学的データを駆使しながらエコロジー的回心の緊急性を説いたローマ教皇フランシスコの警告は、一人ひとりの自覚を促すが、彼は「罪と罰」の論理を使って脅すことはない。それに代わって、「共通の住まい」である地球を守るために連帯しようと促すものだ。

一方で、聖書から生まれたアポカリプス的な終末論が形を変え、崩壊学の言説として恐怖と罪悪感を煽り立て、非キリスト教文化にまで「感染」していることも事実だ。崩壊学の脅しを利用したカルト宗教が、コロナ禍の恐怖に乗じる現象もある。

エコロジーをイデオロギーとする流れもある。その一つは、「自然を守るためには、文明が崩壊しても人類が絶滅してもかまわない」とする考え方だ。「罪ある人間よりも、罪のない動植物の命を優先すべき」という極論も生まれる。また、「今の権力者たちが死んだ後にも生きる若者の未来」だけを問題にするような世代論エコロジーもある。

このように、ますます混乱する世界において、聖書に裏打ちされた危機管理の伝統が歴史の中で実際にどのように展開されてきたのかを知ることは、いろいろな意味で今こそ必要とされるはずだ。次章では、特にヨーロッパにおけるキリスト教と疫病の関係について見ていこう。

第 2 章

キリスト教と医療の伝統

エステバン・ムリーリョ「神のヨハネス」(17世紀、カリダッド救済病院所蔵)

†キリスト教共同体と救いの伝統

ナザレのイエスこそが救世主キリストだ、そう信じる共同体であるキリスト教会の始まりは、新約聖書の「使徒言行録」にこう記録されている。

信じた人々の群れは心も思いも一つにし、一人として持ち物を自分のものだと言う者はなく、すべてを共有していた。

使徒たちは、大いなる力をもって主イエスの復活を証しした。そして、神の恵みが一同に豊かに注がれた。

信者の中には、一人も貧しい人がいなかった。土地や家を持っている人が皆、それを売っては代金を持ち寄り、使徒たちの足元に置き、必要に応じて、おのおのに分配されたからである。（「使徒言行録」四章三二～三五節）

まさに「原始共産制」と呼ぶにふさわしいこのような形の共同体は、今も世界中で見られるものだ。限られた地域で自足自給に近い閉じられた共同体をつくり、その内部では個人資産が存在しない。すべての生産物が共有され、時には家族さえ解体され、子供たちも共同体という「大きな家族」の中で養育される。そのような形をとるカルト宗教もあり、その中には社会的な逸脱が見られるものも少なくない。

原始キリスト教から始まった教会や、そこから派生した各種の修道会、修道院には共通した特徴がある。閉じられた共同体ではなく、貧者、病者、老人、財産のない未亡人、孤児などを宗旨を問わずに受け入れ、世話をする施設が必ず付随していることだ。

宗教というと「死後の安寧（あんねい）」や「魂の救済」を看板にしているという印象があるが、キリスト教には、その成立自体に「病を治療し病者に寄り添うこと」が深く関わっている。一六世紀に日本にやって来た宣教師たちがつくったハンセン病病院から、カルカッタで活動したマザー・テレサの「死を待つ人々の家」まで、異文化圏で病者を保護するその活動は広く知られている。そして疫病を前にした時、そうしたキリスト教が持つ特徴がはっきりと表れる。

一六世紀、ポルトガル商人として日本にやってきた医師ルイス・デ・アルメイダは、イエズス会士と出会い、豊後国府内（ぶんごのくにふない）でハンセン病患者のための救療院や孤児院を設立し、後に自らもイエズス会士となった。また、長崎ではポルトガルに倣って「ミゼリコルジアの組（慈悲屋、慈悲の兄弟会）」という福祉事業も生まれる。

堺出身の金銀細工職人ジョスティノ・カサリアを中心とする相互扶助から始まり、二つのハンセン病病院、老人病院、墓地、孤児養老院、未亡人保護院、救貧院などが次々と開かれた。一六一四年には七つの病院があったが、キリシタン禁令の弾圧によって、一六一九年にすべて閉鎖された（『長崎年表』より）。

日本では仏教の影響で悲田院、療病院及び施薬院などが既に存在していたものの、武士の台頭、朝廷や寺院の勢力衰退とともに救済活動は低調になっていた。

明治維新の時点では、ハンセン病患者のための公的な施設はなく、やはり外国人宣教師が中心になり、ハンセン病の療養施設や病院を設立した。そうした日本政府の無策が欧米諸国から批判され、一九〇七年にようやく「癩予防ニ関スル件」という法律が制定されたが、これはハンセン病が文明国として不名誉であり恥辱であるとする国辱論の影響を強く受けたものであると同時に、「浮浪患者の救済法」としての性格も持っていた。

†ホスピタルのはじまり

では、西洋キリスト教文化圏における「病者の保護施設」としての「病院」はどのような背景で成立したのだろう。最初の施設は、四世紀エジプトのコプト教会に付属するディアコニア（「奉仕」の意）で、七世紀の末までにはそれがローマを中心にイタリアにも広がった。

もともとローマ帝国には、毎年の穀物を安定供給するために皇帝が作った、アンノーナ（「豊作の女神」の意）という穀物の無料配給システムがあり、ローマとコンスタンティノープルに食料長官が配されていた。ディアコニアは、ローマ帝国の滅亡と共に消滅したそのアンノーナに代わるもので、教えを説く司祭とは別に、信徒が責任者となり、配給される食料はすべて寄付によるものだった。

旧ローマ帝国の版図に含まれていたガリア地方（フランス）でも、サン・マルタン（聖マルティヌス）とその弟子が始めた修道会が、同じように宗教施設と福祉の施設を併設することになった。

修道会として最初にヨーロッパに広まったベネディクト会修道院はすべてホスピスを併設していた。「ホスピス」とは、巡礼者のための宿舎「ホテル」と、病者のための治療院「ホスピタル」を兼ねたもので、どちらも「受け入れ施設」という意味の言葉に由来する。貧しい人、病人、死に瀕した人に居場所を提供し、食卓と食料があり、病室と医薬品が備えられている場所だ。

修道院の敷地には薬草園があり、虫くだしや消毒薬などが試行錯誤を重ねながら調合された。飢饉に備えた穀物庫が屋根裏にあることも知られていて、飢饉の際には飢えた人々が何百人も修道院の扉の前に列をなした。備蓄穀物が底を突いた時は、修道僧たちの食物まで分け与えられた。クレルヴォーの聖ベルナールはそうやって何度も飢饉に対処した。一二世紀の終わりにヨーロッパを襲ったペストは、一三四七年から再び猛威を振るい、その間もハンセン病やマラリアは絶えず存在していた。疫病に直接効くような治療薬はなかったが、それでも病人を隔離し、介護し続けた。

修道院だけではなく、司教館にも必ずホスピスが併設された。パリのノートルダム大聖堂の南側には、七世紀に、司教館や参事員の住居と共に大規模な「オテル・デュー（神のホテル）」が建設され、老人、路上で生活する子供、病人を収容し、セーヌ河を越えて左岸にまで広がった。ホスピスの存在はキリスト教の教えの中核と結びついていたので、治療院の建物は聖堂や城館と同じスタイルでつくられ、祈りのための大きな部屋を持ち、病床が並べられ、祭壇がしつらえられて実質的にチャペルの体をなしていた。このようにキリストの受難と病者の苦しみとは、一つのものだと考えられた。

†ホスピタル修道会

やがて、避難所を提供すること自体を活動の中心に据える修道会が登場する。

一一世紀に結成された聖アントニウス会（ペストの症状を模した悲惨な姿のキリスト磔刑像で有名な「イーゼンハイムの祭壇画」は、聖アントニウス会修道院付属施療院の礼拝堂にある）、テンプ

キリストの磔刑が描かれたマティアス・グリューネバルト「イーゼンハイムの祭壇画」第１面

ル騎士団、聖ヨハネ・ホスピタル騎士団（後にマルト騎士団になった）などだ。

一四世紀のヨーロッパは、既に社会資本が比較的充実していたので、説教修道会のドミニコ会や、貧者への施しに熱心だったフランシスコ会などの修道院にはホスピスが併設されていなかった。ところがペストの再燃と共に、人々は、療養所を提供するのはキリスト教徒の義務だと考えるようになり、あらゆる町に修道士や修道女たちが奉仕するホスピスが出現した。

人々は建設資金だけでなく、ベッドや建物を寄付し、さらに介護者の給料や運営資金のために年金や地所をこぞって贈与した。一四四三年に教会参事員ニコラ・ロランが設営したブルゴーニュのボーヌ・オスピス群、一三世紀に造られ一四六八年に再建されたリールのコンテス・オスピスなどの大規模な病院だけでなく、ペリゴールの北にあるブリュザックの領主のように、村はずれにある自分の城にわざわざハンセン病病棟を併設する者もいた。

こうしたことが行われたのは、病者の保護はキリスト教徒である貴族の義務であり、こうした奉仕が罪の贖いとなって救済につながると信じられていたからだ。町の有力者や、同業組合などが協力して次々と互助の疫病用ホスピスを作った。一四世紀に教皇庁が置かれていたアヴィニヨンは、教皇のお膝元というだけでなく、ローヌ河の架橋によって商業の中心地となり交通量が多く、疫病が蔓延しやすかったので、あらゆる種類のホスピスが建設された。ベルナール・ラスカというブルジョワが一三五三年に三位一体修道会に託して建設した聖マルト病院は、二〇世紀末にはアヴィニヨン大学の建物となった。

苦しむ病人の姿はキリストの姿に重ねられ、それに向けられる人々の同情と共感は本物だった。痛みや死につながるだけでなく肉体を蝕(むしば)む疫病は、その感染経路が不明であるために人々を不安に陥れた。だからこそ、単なる貧者救済のような物質的な援助だけでなく、病者のもとを訪れて手当てするという積極的な「慈善」が施された。

感染予防の方法としては、マスクの着用、住居や家具の燻蒸(くんじょう)などが行われたが、あまり効き目がなかった。貴族の城に併設された立派なホスピスで病人の世話をするアウグスティヌス会修道女たちも、疫病で閉鎖された町の路上で死に瀕している人々を保護して回る信心会の会員たちも、自分たちの行為のリスクの大きさを十分心得ていた。

一方で、病者に触れるという行為は、聖性の表れであるとも解釈された。聖フランチェスコは恐れつつもハンセン病者に接吻（せっぷん）をし、代々のフランス国王は年に数回、結核に由来する瘰癧（るいれき）患者へ素手の按手を施した（第5章参照）。

†病者に寄り添う聖ルイ

フランス王ルイ九世は、視覚障害者のためのカーンズ＝ヴァン・オスピス、貧困にあえぐ単身女性のためのアドリエット・オスピスを、さらにポントワーズやヴェルノンにオテル・デューを建設し、自ら病者に寄り添うことを厭わなかった。

そして一二三八年には、コンスタンティノポリスに十字軍が作った「ラテン帝国」の最後のラテン皇帝から、「キリストの茨の冠」という聖遺物を高額で買い入れ、それを納めるためにパリのシテ島にサント・シャペルを作らせたことから、ルイ九世は「イエス」になぞらえられるようになった。

また、ドイツの神聖ローマ皇帝ハインリヒ四世と、ローマ教皇グレゴリウス七世の司教叙任権をめぐる対立後、ルイ九世はヨーロッパの「キリスト教王」としての権力を持ちつつあった。一二七〇年、十字軍に参戦する途上のカルタゴで、赤痢（せきり）またはチフスによって客死したことも、「イエスの受難」を想起させた。

その後、ルイ九世はローマ教会の認める聖人の列に加えられ、サン・ルイ（聖ルイ）となってパリの大病院にもその名を残している。二〇一九年には彼の「聖遺物」調査が行われた結果、ビタミンC不足の壊血病（かいけつびょう）にかかっていたことが確認され、そのために感染症への抵抗力が弱まっていたと推定される。

†神のヨハネス

サン・ファン・デ・ディオス、聖ヨハネ・ア・デオ、「神のヨハネス」などと呼ばれる一六世紀の聖人（一四九五～一五五〇）は、日本にも支部がある聖ヨハネ病院修道会の創立者でもある。

ポルトガルで生まれ、スペインに移住した両親の家から八歳で家出して（と語られているが、誘拐されて捨てられたという説もある）、羊飼いや軍人を経験し、アフリカも含めて歴戦するなど各地を転々とする。そして、四二歳の時、グラナダでアヴィラのヨハネ（十字架の聖ヨハネ）の説教を聞いて「回心（かいしん）」を体験した。

エステバン・ムリーリョ「神のヨハネス」(右)

以来、五五歳で死ぬまでの一三年間、貧しい病人の世話に注力し、死ぬまでに「神のヨハネス」と呼ばれるほどの傑出した社会事業を成し遂げた。それまでは金も身寄りもない病人たちの多くが路上に放置されるか、狂人と共に隔離・拘束されていた中で、初めて病者のために尊厳ある居場所と医療を提供したのだ。

ヨハネスは、昼は病人を介護し、夜になると金持ちの屋敷を訪ねては、寄付を頼んで回るのが日課だった。その極度の熱意に驚いて、善意を試してやろうとしたある金持ちが、「自分は実は破産したばかりで、すぐに金を返さないと子供も家を失い死ぬしかない」という虚言をヨハネスの前で弄したところ、ヨハネスはその日、たまたま特別多く集まった収益を、迷わずその男にすべて差し出した。金持ちは感心して、翌日にそれを「倍返し」してヨハネの病院に持って行ったという。そうした行いから、「神のヨハネス」は、病院、看護人、病人の守護聖人となっている。

†慈しみの世紀

宗教改革の起こった一六世紀に、ヨーロッパはカトリック国とプロテスタント国に分断され戦乱の嵐に見舞われた。カトリック圏にとどまった国では一七世紀に、都市生活の発展と共に、カトリック教会による慈善事業が新たに拡大した。この時期、気候も安定せず、各地にいまだ残る戦乱は過去よりも甚大な被害をもたらしていた。地方から都市に出て働く無産者も増え、公衆衛生のレベルは低かった。しかしトリエントの公会議（一五四五〜六三）と共にカトリックの改革が始まり、中世のホスピス病院であった病院の全面改築と合理化が始まった。さらに、各地に散らばる小病院が統合され、専門病院が開設された。

フランスの例を見てみよう。パリのサン・ルイ病院は、この頃から感染症の治療に特化することになる。設立者が教会や修道会であるか一般信徒であるかにかかわらず、病者の世話には活動修道会の修道女たちが配された。彼女らは病人の自宅への定期的な訪問介護、訪問看護にも繰り出した。

フランス東部のロレーヌ地方など宗教戦争によって荒廃した地域では、ブルジョワと貧民らが協力して病院を作り、修道会、信心会と共に訪問介護をして、合わせて教育事業、助産婦の育成などのプログラムも作った。宗教戦争以来半分倒壊していた修道院も修復されて農民らを収容し、食料の配給も含めて仮の共同体を組織した。

一七二〇年にマルセイユで起こったペストの流行が収束した後も、慈善事業は拡大し、パリのビセートル病院や、サルペトリエール病院などが貧しい老人を、同じくパリのアンヴァリッド（国立廃兵院）とその支部が老兵士や戦傷兵士を収容した。パリ郊外のサンリスやシャラントンでは、精神障害者の世話に特化したサン・ジャン・ド・デュー修道会（神のヨハネスの兄弟会）が活動した。

一六一七年、当時パリ郊外の比較的豊かな村だったクリシーの司祭ヴァンサン・ド・ポール（ヴィンセンシオ・ア・パウロ）は、パリ司教の縁者であったマダム・ド・ゴンディから、ピカルディの村の貧しさを訴えられたことをきっかけに慈善活動に邁進することになる。そして、「すべての罪人、賤民の司祭」に任命され、一六三三年にはパリで貴族の未亡人ルイーズ・ド・マリヤックと共に「愛徳姉妹会」を立ち上げた。愛徳姉妹会は、敷地内に籠る観想型修道院とは異なり、積極的に町へ出ていく女子活動修道会の先駆けとなった。

一六三五年に、ヴァンサン・ド・ポールは、スウェーデン軍に襲撃されたロレーヌで、初めての野戦病院を設営し、一六三八年には町に捨てられた子供たちのために「見つけられた子供たち」という慈善組織を作る。さらに、一六五七年にパリで老人のためのサルペトリエール病院を設立した。

彼は自らも病人と触れ合うことを厭わず、上流階級の人士たちに「階級を忘れ、恐怖を乗り越えて貧しい人々に寄り添うことで互いを「兄弟」だと認めるように」と説教をした。「病気」を治療するのではなく、兄弟姉妹である一人一人の「病人」を治療することだけが真の慈善である、と説いたヴァンサン・ド・ポールは一七三七年に、ルイーズ・ド・マリヤックは一九三四年に、それぞれローマ教会から列聖（れっせい）された。

†啓蒙の世紀以降の疫病

一七二〇年五月、絹や綿を積んで中東からマルセイユに帰港したグラン・サン・アントワーヌ号は、既に船員のなかにペストによる死者が出ていたにもかかわらず、四〇日間の防疫隔離を怠り、七月には、もう長い間忘れ去られていたペストの感染が町中で確認されることになった。

軍隊が派遣され、町中からアルプスに至るまで、感染者を隔離するための長い壁が造営されたが、結局マルセイユ市民の半分近く、プロヴァンス地方の四分の一の人口が失われる大惨事となった。最盛期には一日三〇〇名という犠牲者を数えたこの疫病に果敢に立ち向かったのは、フランソワ＝グザヴィエ・ド・ベルサンス司教だ。

プロテスタントの家庭に生まれ、ナントの勅令（条件付きで信教の自由を認めた）が廃止される直前にカトリックに改宗したこの司教は、ペストが蔓延するマルセイユから離れなかったばかりではなく、港湾部で病者を見舞い、人々を励まし、葬儀を執り行った。さらに二年後には、北フランスのランに異動を命じられたのにもかかわらずマルセイユに残った。死後にはすべての資産をマルセイユの「慈しみのホスピス」に寄付している。

この頃は、戦争での非戦闘員の被害が多くなってきた時代であり、戦場には負傷者を撤退させる「避難ライン」が設けられ、各地の修道院が野戦病院として使用されるようになる。そこは敵味方の区別なく聖域とされた。

大規模な修道会のほかに、小教区ごとの慈善信心会による看護体制が組まれ、オーヴェルニュ地域圏の南部では「メネット」と呼ばれる在家独身女性たちが、貧者や病者の世話に当たった。

一七五四年、カンタル地方の小作農家庭に生まれたカトリーヌ・ジャリージュは、ドミニコ会の第三会に属するレース編み職人だったが、「メネット」として貧者に食料を運び、病者の世話をして死者の埋葬を手伝った。フランス革命が勃発してカトリック教会の弾圧が始まった後には何度も逮捕されたが、慈善活動をやめることはなく、寄付を募り、農家や森に隠れた一〇名以上の司祭の世話を続け、監獄の囚人たちに救援物資を届けた。女性一人で薬品を入れたかごを持って山を越え、革命軍兵士に出くわした時も、無邪気な様子を装って見逃された。彼女に続く女性が各地に次々と出現し、革命後もその活動は続く。カトリーヌは一八三六年に没し、一九九六年にローマ教会から列福(れっぷく)された。こうしてカトリック教会は、フランス革命の混乱後も個人が続けた慈善の聖性を認めたのだ。

その後、一七世紀に設立された病院などはすべて共和国の施設として世俗化されたものの、看護職は修道女たちによってそのまま引き継がれ、それは一九五〇年代まで続いた。

同時に、カトリック系、プロテスタント系の新しい病院も次々と登場する。愛徳姉妹会は再び貧者の救済に尽力し、「神のヨハネス」のサン・ジャン・ド・デュー修道会は身体障害者、精神障害者の世話を再開した。多くの避難所、産院、養老施設が各地に創設され、訪問介護、訪問看護の修道女の姿は教区になじみ深いものとなり、医師も週に一日か二日は無償で回診を行った。

無償で行われる慈善はキリスト者の使命の一つというよりも、福音宣教そのものだと見なされるようになり、フランスの多くの修道会が、教育、治療、食料配布を目的として修道者を世界中に派遣した。アルジェリア南部のオアシスには「ペール・ブラン」修道会の療養所が開かれ、また中国のコレラ患者の世話をするためにも多数の修道女が派遣された。

†民間療法を取り入れたパラケルスス

カトリック教会が主導する医療とは別に、古代以来の魔術や呪術による民間治療は、「聖人崇敬」や「聖遺物信仰」の陰で地下水脈のように続いていた。いわゆる近代医学が形をとる前は、キリスト教文化における「王道」である医術も、「臨床」のレベルでは「民間治療」と大差はなかった。医学理論の基本原理をなしていたのは、天文学や化学へと進化する前段階の占星術や錬金術だった。

パラケルスス

その中でも、ルネサンスの時代の医術を逸脱するスタイルを貫いたことで、後世から「詐欺師」「理解されなかった天才」などと言われた人物が、スイスのパラケルスス（本名：テオフラストゥス・フォン・ホーエンハイム、一四九三〜一五四一）である。彼は医学博士、神学博士、「二つの法の博士」とも呼ばれる。

当時既に、カトリック教会のインフラとしての大学は、神学、教会法、医学という三つの学部を備えていた。中世から存在する自由七科（文法、修辞学、論理学、数学、天文学、幾何学、音楽学）も、学部を選ぶ前の予備段階として位置づけられた後、学部へと発展した。その基礎となっていたのは、あいかわらずアリストテレスの物理学だったが、パラケルススはそれを否定した。

当時、ドイツの医師の多くがそうであったように、イタリアのヴェローナで医学博士号を授与されたと伝えられるものの、「魔術師のところで修業をした」と敢えて自称し、「大学では何も学べない」と言い捨てたパラケルススは、蒸留器具を持ってあらゆるところに出向いていった。

軍付きの外科医として戦争にも同行し、あらゆる症例を扱い、患者の治療の実践に当たったことで、「実証医学の先駆者」とも呼ばれた。実際、各地の魔女や産婆たち、さらには村々の床屋、鉱山師、金銀細工師などからも技術を学んだ。

中世ヨーロッパにおいて、床屋は刃物である剃刀（かみそり）を仕事道具としたことから「床屋外科医、理髪外科医」などと呼ばれ、理髪や髭剃りだけでなく、切断手術、吸角法、抜歯、ヒル療法（瀉血（しゃけつ））、嚢胞（のうほう）や腫瘍の除去も行った。

特に瀉血は重要だった。当時は聖職者が性欲を制するために互いに行うものだったが、一二世紀の教会法は、血を流すこと、手術をすることを聖職者に禁じた。一方、民間では床屋外科医が外科治療を担う。今も理髪店に残る「赤・青・白」のストライプの模様は

「動脈・静脈・止血体」を表すと言われる（実は瀉血は今も医学の現場で使われている。多血症や、慢性C型肝炎などで抗ウイルス薬のほかに、血液中の鉄分異常が重症化や発癌を促すことがわかり、血液を採取する瀉血療法が復活しているのだ）。

パラケルススの時代の公的な医師とは、今で言う内科医師だけであり、四体液説の理論をもとにして処方をし、薬剤師と提携しながら金儲けに走る者が少なくなかった。そんな中、パラケルススは床屋外科医のテクニックを学ぶだけでなく、当時既に迷信として医学界から排されていた伝統的な民間療法を採取し、実証的に分析を重ねながら復権させた。

†医療の刷新と抵抗

パラケルススは、当時権威とされていたガレノス医学を批判し、様々な物質を混合することで別の薬剤を作るやり方にも異を唱えて、自然そのものに治癒の力があるとして四つの方法を論じた。

その一つである「スパジリア」とは、植物や鉱物のエッセンスを抽出するものだ。母なる自然によって隠された癒しの力の徴を物質の中に見極め、それを引き出すために錬金術の方法を駆使した。自然はそれぞれの病に効く薬を有しているものであり、それを蒸留など錬金術の技術によって抽出して、いつどのように使うかを検証した。

パラケルススは特に汎神論的な感性に依拠しながら、病み苦しむ人に寄り添い、生命、宇宙、人間、神という概念を結びつける新しい定式を確立しようと試みた。それは当時広がっていたキリスト教カバラの流れにつながる。それを論じたものが、宇宙のマクロコスモスと人体のミクロコスモスの照応を説く『アルス・マギナ（大魔術）』という著作である。

その一方で、パラケルススの「神学」には、聖職者も教義も典礼も奇跡の治癒を祈る巡礼もない。スイスの山の中で純粋な福音宗教に戻る「宗教改革」の試みでもあった。それはプロテスタントよりもむしろ、カトリックの中世神秘家に近いアプローチだ。死没したザルツブルクで書いた遺書では、財産はすべて貧しい人に配るよう言い残した。その遺体はカトリック教会のアーチ下に埋葬されている。

パラケルススがアウトサイダーであり、天才医師か詐欺師かというように在世中から毀誉褒貶の振れ幅が大きかったのは、彼が証明して称賛された「臨床の実績」が、当時の医薬体系にとっては都合の悪いものだったからだ。

ちょうど印刷術が発展した時期で、パラケルススの著書は広く知られることになった。プロテスタントが、当時のカトリック教会における聖職や免罪符の売買などの腐敗を攻撃して宗教改革を成功させたように、パラケルススは、実践ではなく理論と権威だけで利権を増やす堕落に陥っていたガレノス医学を攻撃して、医学を刷新しようとした。ルターの宗教改革は医学界における自分の使命だと考えて、公に「プロテスト」の言葉を繰り出し続けたのだ。

カトリック教会から破門されたルターが、それに対抗して一五二〇年に教皇勅書や教会法を焚書(ふんしょ)した例に倣って、パラケルススも一五二七年、聖ヨハネの夏至の夜、バーゼルの広場でスコラ医学の教科書を燃やした。

しかし、ルターの抗議行動とは違って、パラケルススの過激なメッセージは民衆の共感や政治的な賛同を得ることはなく、医学部教授の職を得ていたバーゼルからも追われてしまう。

当時のバーゼルは、エラスムスなど多くのユマニストが集まる国際的で開放的な都市であり、大学ではカトリックもプロテスタントも差別せず採用していたが、医学部の考えは閉鎖的だった。医薬利権の壁は、カトリック聖職者の利権の壁よりも厚く、外の世界からは窺い知ることが困難であった。こうして歯に衣着せぬパラケルススは、リトアニア、プロシア、ポーランド、オランダなどからも土地の医師との対立によって追放されたと一五二八年頃に、自ら書いている。

†パラケルススと秘儀

印刷術の発展と共に膨大な書物を残したパラケルススは「伝説の人物」とは一線を画すルネサンスの知識人である。それなのに彼は、なぜか「秘儀」と共に語られるようになった。

彼は「汎神論的カバリスト」「中世神秘家の末裔」「ルネサンスの偉大なエスプリ」だと評価される一方で、近代以降のあらゆる秘儀やオカルティズムのテキストの中で、秘術のシンボルとして描かれる存在にもなった。しかし実際のパラケルススは、確かにドイツ神秘主義や自然哲学、ルネサンスの魔術に影響を受けているものの、いわゆる錬金術も占星術も否定していた。

彼が批判したのは、金儲けや政治の道具にされるような錬金術や占星術のあり方だ。錬金術の技術は薬の蒸留、抽出、精製などに使うものであって、金属を変容させて金にするためのものではない。その一方で、彼は錬金術が化学へと発展する道を創った人物でもあった。占星術に対しても、特に天体の動きによって個人の運命を判定する類いの営みは、神が人間に与えた自由意志に反するという神学上の理由から、彼にとっては許されるものではなかった。

しかし、パラケルススは疫病について占星術を用いて考えた。彼は天体の影響そのものは認めていた。太陽の位置や月の満ち欠けが動植物に大きな影響を与えることは自明だ。けれども、当時考えられていたように、もしも生まれた日の星座の位置が個人の運命を決めるなら、多くの人々が一様に同じ疫病で斃れていくことは説明できない。疫病の原因を唯一説明するものは、疫病が流行る場所と時における星座の位置関係が大気に与える影響だとパラケルススは考えた。

現代でも、誕生日をもとにした運勢占いは多く存在し、サブカルチャーとして消費されている。それでも、医学や地学で因果関係をたどることができる疫病や自然災害ではなく、突然の大規模な飛行機事故などで同時に大勢の犠牲者が出た時などは、占い師が困惑して、単なる運勢とは別の説明を求めることがある。

それぞれ誕生日も手相も異なる不特定多数の人を同時に襲う事故を前にして、ばらばらの個人の運勢をなかったことにはできないからだ。現代ですら、大規模な事故や災害の際に「天罰だ」と口に出す人がいる。しかしパラケルススは、疫病が一定地域や民族に一括して与えられる天罰ではなく、むしろ天体の動きという自然環境の変化に由来するという合理的仮説を立てた。

ところが、一五三四年には南チロルでペスト患者の治療に当たった際、当時の伝統的な治療法を施したのにもかかわらず、彼は現地の医師に拒否されてしまう。また、感染予防のためにある村の封鎖を提案したところ、その村から追放された経験もあり、パラケルススが疫病の治療において実際に認められたことはなかった。しかし、彼は病者に寄り添うキリスト教精神から離れることはなく、既成の医学の恩恵を受けられない貧困者のもとに留まって看護、介護を続けた。

また、梅毒とペストに関しては心理的なものが影響しているという仮説も立てた。放縦(じゅう)な幻想に耽るなどの不健康な考えが、体に悪影響を与える可能性を説いたものだ。また疫病の原因には「天体」「毒物」「自然」「精神的なもの」「神」のいずれか、または複合的なものがあるという可能性を探った。

パラケルススの実証医学と形而上学的、神学的ヴィジョンの併存は、後世に様々な誤解を与えたものの、ガレノス医学から近代医学への転回点、錬金術から科学への橋渡しとなった。パラケルススの方法論があったからこそ、二五〇〇年後に、実験室で科学的に検証されることになるアントワーヌ・ラヴォワジェによる「化学革命」も実現したのだ。

†ビンゲンのヒルデガルト

パラケルススより四世紀も前に、同じようにホーリスティックな治療法を実践して彼に影響を与えた、ライン神秘主義の重要人物が女子修道会に存在した。ビンゲンのヒルデガルトである。しかし、彼女の残した方法論はパラケルススのものとは対照的だ。

前述したように、パラケルススは当時の医学界の常識を覆そうと多くの著作を残し、近代医学の先駆者となったにもかかわらず、皮肉なことに近代の科学主義の反動から「魔術」「錬金術」「カバラ」「占星術」のシンボルであるかのように取り上げられるようになってしまう。

パラケルススがヨーロッパ中に敵を作り、移動を続けざるを得なかったのに対し、ヒルデガルトは神聖ローマ皇帝にも認められて数回の説教旅行をしたものの、一生のほとんどはベネディクト会修道院という安全圏に留まることができた。

幻視したイメージを描き、語り、博物学の重要な著書を残し、作曲もしたが、特に二冊の「代替医学書」は一二世紀のヨーロッパで書かれた唯一のものとして、ドイツ薬草学の基礎とされている。

そればかりか二〇世紀後半に、ドイツの代替療法である自然療法家たちによって再発見され、ニューアカデミズムやカウンターカルチャー、代替知、エコロジー、自然療法が先進国でブームとなっていく中で、修道院内で作られる伝統的なレシピによる食品やサプリメントなどが脚光を浴び、「ヒルデガルト」は一つのブランドにまでなった。

二一世紀になって、ヒルデガルトは同じドイツ人のローマ教皇ベネディクト十六世によって「教会博士」の称号を与えられた。「教会博士」とは、神学上重要な役割を果たした聖人に与えられる称号で、初期キリスト教の教義を確立した神学者をはじめ、聖アウグスティヌスやスコラ哲学を集大成した聖トマス・アクィナス、十字架の聖ヨハネのような神秘家など三〇名あまりが名を連ねている。

最後に認定されたのが四名の女性で、一六世紀スペインのカルメル会修道女アヴィラのテレサ、一四世紀イタリアのシエナのカタリナ、一九世紀フランスのカルメル会修道女リジューのテレーズの後に、一二世紀のビンゲンのヒルデガルトが加わった。

ところがヒルデガルトは、当時のマインツの聖職者たちを批判したせいで、いわゆる正式の「聖女」という称号は得られなかった。それどころか、彼女は教皇や王侯貴族の腐敗を辛辣に批判したことでも知られている。男社会だったキリスト教界で、自由と独立の精神を持って屹立(きつりつ)する存在だった。

ラテン語で著書を残したこともあり、既に有名だったので長い間「準聖女」と見なされてはいたが、二〇一二年五月に正式な聖女として普遍教会の典礼に組み込まれ、五カ月後に「教会博士」の称号が贈られた。今の教皇庁はエコロジーを強力に推進していることもあり、ヒルデガルトは二一世紀になってますます重要な意味を持つことになった。

†万物と人間

ヒルデガルトは、「人間の心は体に宿り、魂は心に宿る」という心身相関的な考えに霊的な次元を加え、健康と霊性を結びつけた。体のうちに心があり、心のうちに魂があり、魂のうちには彼女が「緑気」と呼んだ霊的なエネルギーが流れているという思想は、現代のバイオ・エネルギーや「気」の考え方に非常に近い。

ヒルデガルト医学は、ニューエイジの自然志向でブームになった漢方の薬学や、インドのアーユルヴェーダの薬学を支える思想とも矛盾しない。彼女にとって「単独の病」というものは存在せず、「病んだ人間」は神との関係で捉えられる。仏教にも取り入れられた「一切即一（いっさいそくいち）（一切は即ち一つである）」という考え方は、「神の被造物として自然も人間も一体である」というキリスト教の思想とも共通している。

ヨーロッパの医学が権威的なものになり、人間が自然を支配するという進歩主義が蔓延したが、ヒルデガルトは人間が自然を支配することは間違っていると考え、万物を構成するすべてのものが人間の中でも息づいているとした。

自然の四元素である火、空気、水、土が人間を形作っている。火は体温を、空気は呼吸を、水は血液を、土は筋肉や骨を司る。さらに火は視力を、空気は聴力を、水は動きを、土は歩みを与えてくれるという。

治療食やハーブに関する情報は非常に具体的で、「健康な人の急病は東部で育つハーブに頼らなければなりません。憂鬱と胸に苦しむ人々のためには、西に育つ植物を。麻痺と強い毎日の発熱に苦しんでいる人ならば、南に生えるハーブの助けを借りる必要があります。狂乱した人や肝臓に苦しんでいる人は、北に生えるハーブでそれらを治療する必要があります」などとある。

とはいえ、それまで寄生虫駆除や胃痛に効くだけだと思われてきたアブサントをオリーブ油に溶いてクリームにすれば、肺炎に効くマッサージに使えるなどという具体的な療法まで、彼女はすべて神から告げられたものだと言う。そのどこまでが修道院内での実践の結果なのか、「神のお告げ」なのかは定かではない。しかし、最も重要なのはバランスであるという考えは一貫しているし、「肺と肝臓を病む人はアーモンドを定期的に摂取するように」「肺の病気にはヤギの乳がいい」などと現代の「サプリメント」につながる考え方も提供している。

†ビールなどの修道院製品への注目

また、ドイツらしく、最古のアルコール飲料であるビールの製造にもヒルデガルトが関わっている。ビールは今でも世界でワインの二倍以上飲まれているアルコール飲料で、語源もラテン語の「飲む（bebere）」から来ている。大麦が一番多く使われ、ヒルデガルトの時代には他の苦い植物リンドウ、コリアンダー、セージ、よもぎなどの苦い植物が風味として添加されていたが、ヒルデガルトが香りと苦みを与える蔓性植物のホップ（カラハナソウ）を使うように指示した。ミサに使うワインの原料となるブドウ栽培には向いていないロワール河以北のヨーロッパの修道院では、一一世紀の初め頃からビール醸造が盛んだった。

ベネディクト会では、宿泊客に濃縮ビールを提供した。醸造過程で煮沸（しゃふつ）するので当時の飲料水より衛生的であり、かつ炭水化物を原料としているので糖質の栄養価があるからだ。一一世紀のソワソンの司教であった聖アルヌーは、コレラの流行中に、ビールを飲む人は水を飲む人よりも感染の影響を受けにくいことに気づいたという。そして、信徒によるビールの消費を奨励するため、司教杖（じょう）を醸造樽に浸してみせるなどもして、後に列聖されて醸造所の守護聖人になった。ヒルデガルトは「ホップの苦味は特定の有害な発酵を防止し、ビールの長期保存を可能にする」と書き残し、それ以来ホップが、他の香味（こうみ）に取って替わることになった。

ビールは今日、グローバル化された製品となり、主に多国籍企業によって製造販売されている。ヒルデガルトの時代の製法からは離れたが、ホップの使用は定着した。ベンジャミン・フランクリンは、「ビールは神が私たちを愛し、私たちが幸せであることを望んでいるという証明です」という言葉を残したといわれている。

また、子供たちも食べやすいとヒルデガルトが勧めたラズベリーは、ビタミンCが豊富であることはもちろん、エラジン酸に強力な抗ウイルス作用があると現在では判明している。

細菌もウイルスも知られていなかった時代に作られた、醸造過程で煮沸殺菌をするビールをはじめ、今でも製造される様々な修道院製品は、自然免疫を高めることで疫病の犠牲を減らす自然食品と考えられていた。

ヒルデガルトが脚光を浴びた二〇世紀の終わりに、カナダの司祭が「天の医師」聖母マリアによる肺と心臓に達する伝染病に対するアドバイスと称して、「新鮮なニンニク、小さじ一杯の生姜または粉末のショウガの根、大さじ一杯のレモンジュース、および小さじ一杯の蜂蜜で作った飲料を就寝時刻の一時間前に一杯ずつ毎日、症状がある場合、毎日三杯服用」というレシピを紹介した。

二〇二〇年の新型コロナウイルス感染症による死亡例のなかに、血栓が心臓に到達する塞栓症(そくせん)があったことを考えると、血液凝固を阻害する作用のあるニンニクの使用は理にかなっている。

現代医学における薬や抗ガン剤にも植物由来のものは少なくない。医薬産業の膨大な利権が絡むワクチンや治療薬の開発ではなく、利権とは無関係に積み重ねられてきた「修道院の知恵」がいま注目されているという現象は、「死なない」ためでなく「よく生きる」人間医療について改めて考える機会を与えてくれる。

次章では、ヨーロッパにおける一神教の歴史に、疫病がどのような影響を与えてきたのかをたどり、さらにペストとハンセン病に注目して、聖人崇敬と疫病の関係についても見ていこう。

第 3 章

疫病と戦う聖人たち

「聖ロック」(17世紀、プラド美術館所蔵)

†ガレノス医学の継承とヨーロッパ

今でも、ヨーロッパで医学部の学生が博士論文の審査に合格すると、ヒポクラテスの胸像の前で医師としての「誓い」を立てるように、古代ギリシャの医学者ヒポクラテスの医術観は時代や文化を超える普遍的なものだった。これは、病と症状を観察し、分類し、有効な治療を目指す「経験医学」であり、それによって彼は「医学の父」と呼ばれている。病を「急性病」「慢性病」「伝染病」「風土病」などに分類し、症状の「悪化」や「再発」「回復」などという用語を作ったのもヒポクラテスだ。

その後、二世紀にローマ皇帝の侍医として活躍したギリシャ人のガレノスが、ヒポクラテスの伝統の上に、「血液・粘液・黄胆汁・黒胆汁」という四つの基本体液のバランスで健康状態を説明するとともに、動物の解剖から人間の体の構造を推測して機械論的アプローチの道を開いた。

五世紀に西ローマ帝国が滅びた後、ガレノスの医学書はビザンチン帝国や各地の修道院の中で伝えられ、さらにイスラム世界に伝わって、一一世紀初めにはペルシャ人のイブン・スィーナー（アヴィセンナ）が、インド・ペルシャの伝統も取り入れて統合した。

その後、キリスト教圏ではヒポクラテス、ガレノス、アヴィセンナの三人の医学が、ラテン世界の大学において哲学、神学とともに教えられた。イスラム医学はギリシャとアレキサンドリアの医学に植物学と化学の広がりを与え、鉱物を医学的に使用する方法も伝えた。それら鉱物のなかには、錫、鉛、鉄、銅、銀、金だけでなく、それらをもとにペルシャやアンダルシアの錬金術で得られた「合金」もあった。

興味深いのは、ガレノスの医学と共に、インドやペルシャの知識も取り入れた広汎なイスラム医学において「占星術的なアプローチ」がほとんどなかったことだ。なぜなら、天体の動きで心身の症状を説明することは、太陽神などの偶像崇拝に通じるためコーランによって禁じられていたからである。

それでも中世におけるイスラム医学との交流のほかに、ルネサンス時代のヨーロッパでは、エジプトのグノーシス主義(これももとはと言えばバビロンの影響を受けている)が再発見された。古来、地球の周りを回転する天体の変わることのないリズムは、それを動かす神秘の力、精霊の働きと照応しており、それを知ることで、個人や共同体の運命を知ることができると思われていた。そして、人間の体は「小宇宙(ミクロコスモス)」であり、宇宙は読み解くべきシンボルであると捉えられた。計測できる数値ではなく、天体の動きが臓器の形や場所や行動とのアナロジーとして注目されたのだ。さらにピタゴラスの数秘学や動物学、植物学でも、あらゆる自然現象の解析が行われた。

†修道院と自然の秘密

なぜそこまで「自然の秘密」を暴き、謎を解くことに中世の人々が夢中になったのだろうか。それは宇宙の謎を解くことで神の智恵を賛美するだけでなく、人間の力を増すことで自然現象をコントロールしたいという野心が既に生まれていたからだ。一三世紀から一四世紀初めにカタルーニャの神学者ラモン・リュイが著した『アルス・マグナ（大いなる術）』とは、文字列の生成によって世界のあらゆる真理を解明するための「技術」のことだった。

リュイは、ユダヤ人やイスラム教徒の共存するマヨルカ島で育ち、妻子と別れて在俗フランシスコ会員として修道院を設立して宣教に励んだ。その「技術」はカトリック教会からは警戒されたが、のちにライプニッツに影響を与えたことでも知られている。

このリュイが会員であったフランシスコ会は、イギリス最古のオックスフォード大学のサイエンス部門の設立にも大きな役割を果たした。アッシジの聖フランチェスコと言えば、鳥や花に向かって説教をし、「ブラザー・サン、シスター・ムーン」と自然を讃えたが、その精神がそのまま、自然の弁証法的解釈を正当化することになっていったことは興味深い。

初期のヨーロッパに話を戻そう。五世紀頃から始まったゲルマン諸部族の侵入によって、既に東ローマ帝国と分裂していた西ローマ帝国が滅亡し（四七六年）、ギリシャ＝ローマ文明の構造がいったん崩壊したヨーロッパだが、既にローマ帝国の国教となっていたキリスト教のおかげで少しずつ再統合に向かっていく。

もはやローマ帝国の物質的文明の偉大さによってではなく、貴族たちに広く流布したキリスト教による、信仰共同体を基盤として新しいヨーロッパが生まれた。既にケルト人が信仰していた異教の神々の聖地などは、キリスト教の聖母や聖人崇敬の巡礼地に置き換えられていたが、ゲルマン人の神話や信仰も少しずつキリスト教化し、聖地に人々が集団で参詣するためのネットワークも少しずつできていった。そうした「神頼み」の中でも病の治癒祈願は民間信仰の大きな柱だが、中世初期にはまだ疫病の規模は小さいものだった。

離れた地方を結ぶ交易はまだ少なく、「ペスト」と称される疫病も拡大した様子はない。七〇九年のブレシア、七四五年のカラブリアとシシリア、七七四年のパヴィーア、九六四年のミラノ、九八九年のベネチアなどで、その記録が散見されるだけだ。一一九七年に神聖ローマ皇帝のハインリヒ六世が倒れ、一二七〇年の聖ルイ王の十字軍が遠征地で襲われた疫病の実態も正確にはわかっていない。当時は赤痢もマラリアも一様に「ペスト」と記録されていたからだ。

†疫病の拡大

疫病の拡大がヨーロッパ大陸全体で起こるようになるのは、一四世紀以降のことである。一二、一三世紀頃からヨーロッパの人口が増大し、舵や羅針盤の発明で長距離航海による商取引が可能になることで、都市が発展した。一四世紀初頭には都市人口と食料供給のバランスが崩れて食料不足が起こり、飢饉や戦争によってそれはより深刻になった。英仏百年戦争が勃発し、一三四六年に英仏海峡の港町カレー近郊のクレシーでの大規模な戦いの後で、ペストが広がり始めた。それがヨーロッパにおける本格的な「黒死病」の先駆けとなる。

中央アジアの高原に発するペストが、ローマ帝国滅亡以来、シルクロードを経たキャラバン隊や、アナトリア、シリア、エジプトの港を経由する船によって、既に単発的にヨーロッパに到着していたことはほぼ確実だとされている。

六世紀半ばに始まった「ユスティニアヌスのペスト」と呼ばれる感染（二〇一二年の調査によって、ペスト菌であると推定された）も、東ローマ帝国のユスティニアヌス帝（在位五二七～五六五）の全盛期に起こったものだ。西ローマ帝国領を併合して再び東西ローマを統一したいという皇帝の野望も災いして、エジプトから北パレスチナを経由し、五四二年頃にコンスタンティノポリスに達したものだと言われている。

人口の半分が感染し、ユスティニアヌス帝も一時重体となった。その後も断続的に家畜まで感染して飢饉を招き、人口の減少で税収も商業も打撃を受け、さらに冷害と地震も重なって、聖ソフィア寺院を建設したユスティニアヌス帝の繁栄は終わりを告げた。このような皇帝の没落は「神罰」によるものだとされたため、彼は自らをキリストになぞらえた肖像を描かせたり、断食行をしてトルコの中央部に位置するガラティアにある「聖母マリアの上衣」のもとに巡礼したりして治世を終えた。

ペストはコンスタンティノープルから各地に広まる。そして、五九〇年にローマ教皇ペラギウス二世がペストに斃れたことは、ローマ・カトリック教会を恐怖に陥れた。ユスティニアヌスと戦っていたササン朝ペルシャもペストの打撃を受け、それらのおかげで次世紀のイスラム教による侵攻、ペルシャ征服も容易になった。

ローマ・カトリックの求心力も弱ったことで、「ユスティニアヌスのペスト」は結果的に、東方正教会、ローマ・カトリック教会、イスラム教という一神教のその後の棲み分けに少なからぬ影響を与えることになった。

ところが、この時のペストは、フランスで言うとロワール河の北にはほとんど広がらなかった。そのため、打撃の大きかった地中海文化圏とは違って、フランク王国やアングロサクソンのブリテン、スカンジナビアなど北欧の間では互いの商取引が増え、むしろ経済力が増大した。結局、この「ユスティニアヌスのペスト」は二〇回もの流行の波を繰り返した後で、二世紀後にはようやく終息したが、その終息の理由は今でもわかっていない。

†ペストへの対策

ついに第二のペストが中世ヨーロッパ全土に広がった。

一三四七年一〇月のある夜、シチリア島北部の港メッシーナに一二隻のガレー船が入ってきた。モンゴル軍に包囲されていたクリミア半島にあるジェノヴァの飛び地から、ヴォルガ河を経由してやってきたものだった。憔悴(しょうすい)した乗組員は、彼らを包囲していたモンゴル軍が謎の災厄で兵を失い退却したこと、「キリスト教徒がこの腐敗で絶滅するように」と、何百人もの死骸を町の城壁越しに投げ捨てさせていたことを証言している(これが病原菌による「生物兵器」となった)。

ガレー船では、その後の二週間の航海中に乗組員の半数以上が死んだ。それを聞いたメッシーナの住民はあわててガレー船を隔離したが、既に遅く、数時間後には最初の感染者が出た。人々はパニックに陥って東部のカターニアへ逃れ、さらにイタリア本土に避難したため、ナポリ、ローマ、シエナ、フィレンツェなどへと次々とペストが広がった。

六世紀の流行とは違い、一四世紀のペストがヨーロッパ全体に蔓延した理由は、人口増加や交易の拡大だけではない。既に一一末世紀以来の十字軍の遠征がオリエントとの濃厚接触をもたらしていたからでもある。

ペスト菌の宿主（しゅくしゅ）であるインドの黒ネズミ、エジプトの腹白ネズミは一二世紀末に地中海北岸に運ばれた。十字軍は聖地エルサレムに攻め入り、穀物蔵を収奪した時に、ネズミも一緒に奪うことになった。肉屋、パン職人、屠殺（とさつ）職人らが最初に感染したが、ボイラー職人や荷車職人などは、ボイラーや荷車の騒音がネズミを寄せ付けないために感染せずに済んだという。葬儀の場が感染源となったのは、死者の体から逃げ出した蚤（のみ）が通夜で祈る人々を宿主としたからだった。

一三四八年春にはトスカーナ地方で、シチリアでの主症状だった肺炎に加え、出血や腺異常などが現れた。その後、パドゥワ、ベネチア経由で、ペストはバルカン、オーストリア、ドイツへと伝わり、ピサ、ジェノヴァ経由でスペインやフランスへと広がった。ペストはヨーロッパをさらに北進し、アイスランドでは住民のほとんどが斃れることになった。

この惨状を目にしたローマ教皇クレメンス六世は、通常二五年ごとに祝われている「聖年」を一三五〇年の予定から二年早めて、ペストの終息を神に祈った。彼はフランス人であり、当時はローマではなくアヴィニヨンに教皇庁が移されていた。医師たちは当然、この疫病の原因を探る。しかし、アヴィニョンの医師ギイ・ド・ショリアックが歴史家や哲学者たちに諮問しても答えは得られなかった。結局、その頃の先端科学でもあった占星天文学者の意見を聴くことになる。

すると、一三四五年の三月二四日、土星と木星が水瓶座で一四度の角度で連携したことで、光が闇になってインド沿岸の流れが変わり、そうした異常から生まれた有害な蒸気がゆっくりと西に流れ、太陽が獅子座にある間は害を撒き散らし続けるのだという答えが返ってきた。

採用された対症療法として、感染者の出た家の窓を封鎖し、正面に黒い十字の印を描き、肉の脂身、オリーブ油の摂取を禁じ、十字路で香木を燃やすなどをした。医師は精油に浸したマスクを着けて患者に接した。感染の疑いがある外海からの船に四〇日の隔離を義務付けたのは、一三七七年のラグサ共和国（現在のクロアチアのドゥブロヴニク）が初めてだった。

一般人はなすすべもなく贖罪行を行い、聖セバスティアンや聖ロックに祈りながらわが身を鞭打って歩く集団もあれば、ボッカッチョが『デカメロン』で述べているように、仲間同士で郊外の庭園に籠って楽しむ集団もあった。一四五〇年には二カ月で四万人の犠牲者を出したパリでは、症状が出るとすぐに自ら屍衣に身を包む人も出てきた。信仰によって一つになっていた社会では、疫病の前でも信仰を通して団結することが求められた。

既に、疫病には神罰によるものと、有毒な気体によるものの二種類があるという先人の見解が一般に共有されていた。有毒ガスは三角州や沼地から発するもののほかに、動物の死骸の腐敗によるものがあり、墓地、汚水溜め、ごみ集積場などが発生源であるとされた。人から人への感染も知られていて、「言葉や視線でさえ感染経路となる」とボッカッチョは書いている。

ペストだけでなく、シルクロードを経由して天然痘やインフルエンザも運ばれた。インフルエンザは「寒さに影響（インフルエンス）される病」として、今もその通称を残している。他に軍隊の発汗性伝染病というものが記録され、リチャード獅子心王など、将軍の罹患状況が中世の戦闘の勝敗を左右した。

†伝染病と聖人たち

すべての感染者や家族は、神やイエス・キリスト、聖母マリアに治癒を懇願し、特に、それぞれの時期や場所に対応する特別な聖人への祈願が熱心に繰り広げられた。キリスト教における神や聖人への治癒祈願の特徴は、神への祈願の「とりなし」をしてくれるという聖人がしばしば、自らも疫病を治癒した経験を持ち、同時に結局は自分も疫病の犠牲となっていることだ。

イエス・キリスト自身も、死者をも蘇らせるほどの奇跡の治療師でありながら、自らは普通の刑死人と同じように苦しんで息絶えた。それがすべての人の罪を贖うためだったという考え方がキリスト教の出発点である。

イエスは弟子たちを福音宣教に送り出す際、治癒の能力を授け、それを推奨した。その時に、自分たちも感染して死ぬべきだとか、処刑されるべきだなどと言ったわけではないが、その後のキリスト教の歴史においては「キリストに倣う」という伝統が脈々と受け継がれ、それに従って命の犠牲を厭わない殉教聖人が続々と生まれた。

一三世紀、北イタリアのドミニコ会士ヤコブス・デ・ヴォラギネによってラテン語で書かれた『黄金伝説』は、近代以前のカトリック世界では聖書よりも広く読まれた聖人伝である。とはいっても、そこで描かれる聖人の中には、ミカエル（サン・ミッシェル）、ガブリエル、ラファエルのように、人間ではない「大天使」も含まれている。

ミカエルがペストの守護聖人となったのは、五九〇年にローマのペスト大流行でペラギウス二世が斃れ、その後に教皇となったグレゴリウス一世の時代だ。疫病退散を聖人たちに連禱しながら行列している時に、ハドリアヌス霊廟の上で剣を鞘に納めるミカエルを見たグレゴリウス一世は、ペストの終息を確信した。これによってミカエルはペストの守護聖人とされ、ハドリアヌス霊廟はサンタンジェロ（聖天使）聖堂となって、今も大天使の像を屋根に戴く。

けれども、神や天使だけではなく、血の通った人間である聖人たちにまつわる伝承や聖遺物が流布したからこそ、カトリック教会は魔術師や詐欺師の横行を防ぎ、民間の治療師たちを管理することが可能になった。

ローマ、サンタンジェロ聖堂の大天使ミカエル像

†癩者への接吻

伝染病患者を共同体から疎外し忌避するのではなく、対等な立場に立って「触れる」ことこそが「愛」である。それがイエスの教えであることは前述した。しかし、恐怖と忌避の念を催させる伝染病罹患者を目の前にした時、それは言葉で言うほど易しいことではない。そんな病の代表が、体の表面が崩れ悪臭を発するという段階に至ったハンセン病だった。

「癩者への接吻」というのはキリスト教のイコンの一つであるが、イエスが「癩」の人に触れて治したといっても、それが実際にハンセン病患者だったのかどうかはわからないし、実際に接吻をしたと聖書に書かれているわけでもない。しかし、癩病者の姿にイエスの姿を見て接吻することで、回心体験をする人々は確実にいた。

最も有名なのはアッシジの聖フランチェスコだ。馬に乗って道を進んでいたフランチェスコが物乞いをする癩者に遭遇した時、二人の間には違いと距離があった。癩者の姿に一瞬の嫌悪を覚えた後で、フランチェスコは馬から降り、癩者の手に金を置き、さらにその手をとって接吻をした。

その瞬間に二人を隔てていた違いと距離は消失し、癩者はフランチェスコの隣人となり「きょうだい」となり、金銭の恵みは愛となった。それ以来、すべての嫌悪は優しさへと変化した。その恵みを確認するかのように、フランチェスコは次にハンセン病者を隔離した救済施設に赴き、一人ひとりに金を恵むとともに、手と口に接吻したと言われている。

当時のローマ教皇は教皇領の領主であり、カトリック教会は富を蓄積し、ヨーロッパの他の政治権力者とのパワーゲームに明け暮れていた。そんなローマ・カトリック教会に、アッシジのフランチェスコの「癩者への接吻」が、本来は「弱者ファースト」であるはずの「イエス・キリストの教え」の息吹を吹き込んだ。こうして「疫病者に寄り添うキリスト教」の伝統が、フランチェスコによって更新されたのだ。

そのアッシジのフランチェスコを初めて教皇名として選んだ教皇フランシスコは、二〇一四年四月、全身を瘤に覆われた男性に接吻をした。これは伝染病ではなく遺伝病だが、医師をもたじろがせるほどの症状で治療法もない。彼は教皇が一瞬の躊躇もしなかったことに「愛」を感じた、そして「この瞬間、自分は生まれ変わったのだ」と証言した。

不可能の治療師、聖ロック

アッシジのフランチェスコの後にも、歴史的な疫病が起こるたびに、カトリック世界には新しい「聖人」が現れた。一四世紀のペスト禍を生きたことで有名なのは聖ロック（サン・ロコス、一三五〇～七八）で、彼も伝染病の守護聖人となっているフランスの聖人だ。アヴィニヨンに教皇庁があった時代の国際的商業都市であり、医科大学で有名なモンペリエの名家に生まれ、イタリアのロンバルディアの出身の母を持つ。

ヨーロッパの人口の三分の一を奪ったとされるペスト禍の折、モンペリエでも一三五八年から六一年に感染が広がり、ピーク時の三カ月間には、一日で五〇〇人が死んだと言われる。ロックは一七歳で孤児になったが、相続した財産はすべて貧者に施した。英仏百年戦争の真っただ中の時代でもある。

フランチェスコ会第三会（在俗会）に入り、二〇歳で全てを捨て、司教の祝福を受け巡礼者としてローマに向かった。ローマ近くの町で一三六七年七月から三カ月滞在した時にペスト禍に遭遇し、医学知識を活かして看護に当たっただけでなく、彼が十字を切ることで多くの奇跡的治癒が起こった。

その後もペストが蔓延していた町に行っては治療を続けたので、ローマに入ったのは翌年の初めとなった。さらに、モンペリエ出身の神父が創設したローマの聖霊修道会の病院で働いていた時、ある高位聖職者に奇跡的な治癒をもたらしたことで、フランス人である教皇ウルバヌス五世に謁見することになった。ロックを前にした教皇は、「天国から来たようだ！」と言ったという。教皇は彼に全免償を与え、故郷に戻るように命じた。

ロックはその後も献身的に病者の介護をしながら、奇跡の治癒を施し続け、一三七〇年になってようやくローマを去った。しかし帰途のピアチェンツァで、自らもペストに感染していることが判明して町の外の森に入り、小屋に閉じこもって自主的な隔離を決行した。小屋の傍には水が湧き、一匹の犬が毎日パンを一切れ持ってきてくれたという（犬の飼い主である貴族パラストレッリはロックの弟子となり伝記作者になって彼の肖像画も残した）。ようやく回復したロックはピアチェンツァに戻り、さらに別の患者たちの世話をした。しかし、ミラノでミラノ公ヴィスコンティとサヴォワ大公（教皇と連合）の戦いに巻き込まれてスパイ扱いされ、身分を明かさぬままに投獄されて、五年後に獄中で死んだ。

一三七九年八月一六日、死の前日、終油の秘跡の際に聴聞司祭にだけ自らの身分を明かし、ヴォゲーラに埋葬された。一五世紀に列福されたが、一四八五年に腕の骨の小片二つをのぞいた遺骨が盗まれた。後に彼の「聖遺骨」はベネチアにもたらされて、今も一六世紀に建てられたスクオーラ・グランデ・ディ・サン・ロッコ（大同信組合）の教会に遺骨の大部分が納められている。

一八三〇年代のコレラの流行期には、故郷のモンペリエでロックが再び注目された。一八五六年にサン・ポール教会にベネチアから脛の骨が与えられ、一八六七年にサン・ロック教会と名が変えられて、「聖遺物」は今も巡礼の杖と共に残っている。モンペリエ大学医学部の外科医師団は、聖ロックが確かに腺ペストに罹患していたと遺骨から診断した。以来、伝染病のたびに人々は聖ロックに神への取り次ぎを祈り、そのため「不可能の治療師」「最初の国境なき医師」という異名が与えられている。

†カトリック改革以降のペストと聖人

ヨーロッパでプロテスタントがカトリック教会から離反し、非合理的な奇跡と関連する聖人崇敬を改革派プロテスタントが否定した後でも、カトリック文化圏では疫病と戦うことで聖性を認定される聖人が次々と現れた。

一五六五年にミラノ大司教に叙任されたカルロ・ボロメオ枢機卿（一五三八〜八四）は、一五七六年にミラノを襲った飢饉とペストを経験した。貴族たちは我先にとミラノから脱出したが、彼は一日に六万人に食べ物を配り、ペスト患者の体を自ら洗ったという。自らの罹患を覚悟して遺書も書いておいたが、ペストが終息した後も六年間生き、カトリック教会による対抗宗教改革を推進した。

ボロメオは、ロンバルディア地方の貴族の家系に生まれ、メディチ家出身の母を通して教皇ピオ六世（在位一五五九〜六五）の甥となった。彼が実践したのは、「疫病や飢饉で斃れる弱者の救済」に取り組むというキリスト教の基本であって、それは、聖職売買や縁故主義などで堕落してプロテスタントの離反を招いていたカトリック教会の刷新を目指すトリエント公会議の精神の体現だった。

彼はトリエント公会議の精神に基づく新しい公教要理（二〇世紀の第二バチカン公会議後に現在の公教要理が作られるまで四世紀以上使われた）の作成にも関わった。改革の推進を快く思わない者たちから何度も命を狙われ、過労で憔悴して死んだが、その墓を訪れる人々には「奇跡の治癒」が相次ぎ、一六一〇年に聖人の列に加わった。

また、イギリスの聖ヘンリー・モース（一五九五〜一六四五）は、プロテスタントからカトリックに改宗し、投獄もされた後にイエズス会士になり、宣教師として母国へ派遣された。一六二四年にイギリスがペスト禍に襲われた時には、ロンドンの貧民街で宗派の区別なく病者たちを介護し、一六三五〜三六年の間には自らも三度罹患した。その後カトリックであることを理由に逮捕された時には、病人の世話をした功労を認められて一度は釈放されたものの、イギリスによるカトリック弾圧政策により、最後は死刑を免れなかった。その後、モースは殉教者として一九七〇年に列聖された。

†ハンセン病と聖人

カトリック教会は、ハンセン病者に対する取り組みを継続してきた。感染するとただちに死につながるペストと違い、ハンセン病は実は感染力が弱く、急死につながる確率も少ないのにもかかわらず、手足の末端や顔面の壊疽という目に見える二次障害が人々を恐れさせた。

単に「弱者に寄り添う」ということは、「弱者を飼い慣らす」という発想と紙一重である。病気で路上に倒れている人がいて、「大丈夫ですか？」と寄り添うことができるのは、自分の方が強く、「弱者を助けてやれる」という相対的な「救い主」の自信に裏打ちされているからかもしれない。でも、その病人が感染症患者のような見た目をしていれば、そうした余裕は吹き飛び、恐怖に駆られて逃げ出してしまうことは大いにあり得る。だからこそ、為政者が人々のそのような直観的な恐怖を利用して、非合理で不正な政策をとってきたという例が古今東西に見られる。

疫病を根拠とする差別は、単なる外見や性別、人種による差別とは異なり、「差別する側」の人間でも感染すれば、いつでも「差別される側」になり得る。それに対して、例えば南アフリカで暮らす特権的白人が、いつか黒人になるというようなことはあり得ないし、アメリカ大陸のプランテーション経営者には、いつか黒人奴隷に「転落」する可能性はない。植民者たちには「先住民」になる心配はない。働き盛りの大人は子供にはならないし、男は女にはならない。そういった要素は、「感染」はしないのだ。だからこそ相対的に強い立場にある者が不平等を自覚して、弱者に寄り添ったり救いの手を差し伸べたり差別を撤廃したりすることもあり得る。

しかし、「感染」の恐れを引き起こすハンセン病患者への差別は、多くの社会において共同体維持の知恵として温存されてきた。それに対してキリスト教は、イエスの施した治癒の伝統に従ってハンセン病患者の世話を続ける。一六世紀の大航海時代に世界中の非キリスト教文化圏のキリスト教化を試みた宣教師たちは、たとえ非キリスト教文化に対する様々な偏見や思惑を持っていても、ハンセン病の患者の救済を見逃すことだけはなかった。

宣教戦略だけを考えれば、「棄民」として扱われ、共同体の外に暮らすハンセン病の民に関わるよりも、影響力のある権力者に近づき取り入ることの方が有効だったかもしれない。実際に、そういう宣教方法は多くとられている。けれども宣教師たちは、それと並行してハンセン病の人々の介護施設を作り、インフラの整備や教育の道をつけることを忘れなかった。

アルゼンチン人司祭ホセ・ガブリエル・ブロチェロ（一八四〇〜一九一四）は、叙階されてすぐにコレラ患者の世話をするために、ポンチョをまといマテ茶を手にした姿で、ロバの背にまたがり山奥に入った。広大な教区を回る中で、当局に働きかけて二〇〇キロの道路を創って橋を架け、電報と郵便と鉄道を整備した。しかし、ハンセン病患者の世話をしたことで自らも感染し、視力を失ってしまう。死後に彼を慕う信徒たちの祈りを通して「奇跡の治癒」が報告され、二〇一六年に初めてのアルゼンチン人の聖人として、こちらも初のアルゼンチン教皇フランシスコによって列聖された。

また、オランダ人の福者ペトルス・ノルベルトゥス（一八〇九〜八七）は一七世紀以来オランダの植民地であった南米のスリナムで、奴隷や伝染病患者の世話を四五年続け、ハンセン病者の権利擁護にも献身した。森の中に隔離された公立のハンセン病施設まで司教に連れていかれたドンデルス（オランダ名）神父は、ほとんど寝たきりの病者たちの指を失った手足、膨れ上がった脚、声を出せないほど傷んだ舌を見て衝撃を受けた。

一八五六年からは、二〇〇〇人の信徒がいる町の司牧を受け持つのと並行して、療養所付きの司祭となり、以来、見捨てられた病者が適切な医療を受けられるようにと植民地政府に対して奔走を続けた。一八六六年にレデンプトール修道会が宣教のためにスリナムに送られて来た時、既に五七歳だったドンデルスは入会を志願して六カ月後に終身誓願者となった。ハンセン病者の献身的介護と生活条件改善に尽くすかたわら、カリブ海のインディオの貧困者にも現地語で宣教をして多くの洗礼を授けた。

老いて疲弊したドンデルスは、一八八三年に都市部に異動させられたが、二年後には自ら再びハンセン病療養所に戻り、現地で亡くなった。彼の聖性は故国オランダにまで伝わり、一九八二年に福者の列に加えられた。

†ハワイのハンセン病

近代以降、ハンセン病患者のために献身したことで最も有名なのは、「愛の殉教者」と呼ばれて二〇〇九年に列聖され、「ハンセン病の守護聖人」となったイエスとマリアの聖心会宣教師のダミアン神父（一八四〇〜八九）だ。

ベルギー生まれのダミアン神父は、二四歳の時、宣教師志願の神学生としてハワイのオアフ島に渡り、ホノルルのカテドラルで司祭叙階を受けた。当時のハワイは立憲君主国として近代化を目指していたが、イギリスやアメリカとの関係が深く、プロテスタントが主流だった。ダミアン神父はプロテスタントと競合して各地にカトリックの聖堂を建設した。

一八七三年、ハワイの司教が、モロコイ島に隔離されたハンセン病者の世話をするボランティアを募った。隔離されている八〇〇人の病者は七年間も常駐の司祭なしで暮らし、死者の数も多かった。志願してモロコイ島に渡ったダミアン神父は、病者たちのために教会、学校、病院、養護施設などを精力的に創設したばかりでなく、道路や水路も開発した。その功績を認められて、一八八一年には後のハワイ女王となるリリウオカラニの訪問も受け、ハワイ王から「ハワイの栄光」として表彰された。

ダミアン神父

ダミアン神父は耳、足、瞼(まぶた)にも次々と結節ができていく中で、自分は聖母マリアに守られていると信じてなかなか感染を認めなかったが、一八八五年にハンセン病感染の診断が確定すると、それに恐れをなした他の司祭たちは島を去っていった。それだけではない。その頃、梅毒がハンセン病の前駆症状だと考えられていたので、ダミアン神父も性関係を疑われることになった。梅毒の検査では陰性が確定したものの、神父の名声に嫉妬したプロテスタント関係者が、神父の品行についてよからぬ噂を流した。しかし、ダミアン神父はそのまま死の二週間前まで献身的に働き続けた。

ダミアン神父の名誉回復をもたらした一人は、『宝島』の作者であり敬虔なカルヴァン派の家庭に生まれたスティーブンソンだ。ロンドンからやって来て、ダミアンを知る人たちから事情を聴取して『タイムス』に記事を書き、他のメディアもそれに追随した。

一九三〇年代には故国ベルギーでも「英雄」と認知されて、棺が掘り起こされてモロコイ島からベルギーへと移送され、カトリックである国王に迎えられてルーヴェンの大聖堂に埋葬された。ハワイ王国が倒れ、共和国に移行したハワイがアメリカに併合されたのは一八九八年で、ハワイが一九五九年にアメリカの州の一つになった時、ワシントンの国会議事堂（キャピトル）には、カメハメハ王（ハワイ諸島を統一した初代のハワイ王）と共にダミアン神父の像が置かれた。

†殉教者の傷

ダミアン神父はカトリック教会からは二〇〇九年に列聖され、ハンセン病患者、HIV

感染者、ハワイの守護聖人とされている。神父が自らもハンセン病に罹患して殉教し、聖人となったことには、彼の病状を露わに伝える写真の与えたインパクトの大きさも影響しているだろう。

それまでの聖人伝の殉教者のイメージには、拷問されて殺されても、死後には無傷の体から芳香が放たれていたというものが少なくなかった。つまり、そこで伝えられるのは、彼らが死んで神の国に上げられて癒されたというメッセージである。イエスが釘打たれた場所と同じ傷口から血を流した「聖痕者(せいこんしゃ)」も、死後にはその跡がすっかり消えていたというエピソードが多く、聖痕とは超自然の霊的な傷であることが示唆された。つまり聖性とは、究極の清らかさや完全さとしてイメージされていたのだ。

けれども、鞭打たれ十字架に釘打たれたキリストは、悲惨な姿で死んだはずであり、復活後も、それを信じようとしない弟子トマスに向かって、脇腹の傷に触れてみよと言ったのだから、「光り輝く体」などではなく、受肉し人間としてすべての人の罪を贖うために酷い死を受け入れたことをそのまま明かす姿であったはずだ。実際カトリック世界で繰り返し描かれてきた磔刑図(たっけいず)のキリストは苦痛に顔を歪めるだけでなく、外傷以外の様々な病気の症状を託されている。

ハンセン病による結節に覆われたダミアン神父の姿や、死の床の様子を記録して伝えた写真は、キリスト教の聖性が「隣人を愛するゆえに傷ついた姿」につながることをあらためて人々に思い出させてくれた。それは、神と疫病の関係が、イエス・キリストの時代から、実は変わっていなかったということでもある。

ダミアン神父と同じハワイでハンセン病と戦った修道女マザー・マリアン・コープ(一八三八〜一九一八)は、ダミアン神父の三年後に列聖された。

マザー・マリアンはドイツで生まれ、幼い頃にアメリカに移民としてやってきて、二四歳でフィラデルフィアのフランチェスコ会に入った。ドイツ移民の教育に携わり、後にアメリカで最初の総合病院の一つを創立し、そこでアルコール中毒者や未成年の未婚の母の世話をするなど精力的に活動して、一八七七年には管区長となった。

一八八三年にハワイのカラカウア王が、ハンセン病施設の看護に当たってくれる修道会を求めた際、五〇もの修道会が感染を恐れて拒絶したが、マザー・マリアンはそれに応えてオアフ島に派遣された。政府の要請に従って、一八八四年にマウイ島で最初の総合病院を創設し、さらにモロコイ島のダミアン神父のもとで、ハンセン病の女性たちの介護にもあたった。

一八八九年にダミアン神父を看取った後、数年後にフランチェスコ会士の修道士が五人到着するまでの間、男性患者の介護も担当した。また、子供たちのために女子校を設立するなど、ハンセン病患者の権利獲得と向上のために尽くした。

†聖像による疫病封じ

聖人による疫病者介護の実践とは別の形で、疫病封じのためのグッズが聖人誕生に先行するというめずらしい例もある。

一八三二年にパリでコレラが猛威をふるった際、身につけるだけで効験あらたかだったという「不思議のメダイ」は、聖母マリアのメダルを身につけるだけで守られるという新しいタイプのお守りとして、世界中に広がった。

それは特定地域に関係の深い聖人や守護聖人への巡礼などとは別のものだ。地名を冠される各地のノートルダムとも違うし、ロザリオの祈りとも違う。「不思議のメダイの聖母」に交代で二四時間祈り続ける修道会があるなど、祈りを支える依り代(よりしろ)のような、いわばヴァーチャルなネットワークの端末となった。このメダルのデザインは、パリの愛徳姉妹会のチャペルに「ご出現」した聖母がある見習い修道女に伝えたものとされる。そのカトリーヌ・ラブレーは、一介の修道女として一生を過ごした後で初めてその役割を公にされ、一九四七年に聖女となった（第5章参照）。

もちろん、携帯できる小さなメダルだけではなく、カトリック教会には無数の十字架の磔刑像がある。剣を手にして災厄に立ち向かう勇ましい大天使の姿とは対照的に、自らもこの世での死を前にして苦しむイエスの姿のインパクトは大きい。二〇二〇年の復活祭の期間を深刻なコロナ禍に見舞われたイタリアでは、三月一五日、フランシスコ教皇はバチカンを出てローマ市内の二つの教会に巡礼し、疫病終息を祈った。

一つはバチカン市国の飛び地である聖マリアバジリカ聖堂（バシリカ・ディ・サンタ・マリア・マッジョーレ）で、「サルス・ポプリ・ロマーニ（ローマ人の救い）」と呼ばれる古くから伝わる聖母子のイコン、もう一つは、聖マルチェロ教会（キエーザ・ディ・サン・マルチェッロ・アル・コルソ）の「奇跡の磔刑像」の前でそれぞれ祈りを捧げた。

この「奇跡の磔刑像」は、一五一九年の大火災で教会が焼け落ちた時、奇跡的に無傷で主祭壇に残った。それを見た信徒たちは毎金曜日にこの十字架の前で祈る信心会を立ち上げ、それが今も続いている。さらに一五二二年のローマでペストの爆発的感染が起こった時には、その終息を祈る贖罪の行列が、この十字架を掲げてローマ中を一六日間も回った。

当時は行列による感染拡大を恐れる当局が禁止したが、ローマ市民の熱烈な要望に応えて強行され、十字架が教会に戻った頃には、ペストは下火になっていたという。それ以来、聖年のたびに聖マルチェロ教会から、ローマ中心街を通って三キロほどの行列で聖ピエトロ大聖堂への十字架行列が行われた。

三月一五日の祈りの後、フランシスコ教皇は、聖母のイコンと聖マルチェロの十字架をバチカンまで運び、その二つを傍に置いて全世界にミサを配信した。三月二七日の雨の広場での祈りにも、四月九日の聖木曜日のミサや聖ピエトロ広場での「十字架の道行き」にも、聖金曜日や復活祭にも、聖母子の画像と、十字架の上で口を半開きにして苦しむキリスト像が必ず、教皇の傍らに置かれ、世界中の視聴者の目に触れた。

目に見えぬ神でも天使でも聖霊でもなく、古今東西の聖人でもない。人間として受肉して贖罪の犠牲を一身に引き受けることで、それまでの「罪と罰」という調整原理を一掃したイエス・キリストの磔刑図、それを可能にするためにイエスをこの世に誕生させた聖母マリア、この二つを可視化した聖像を掲げることは、疫病の期間に起こり得るあらゆる種類の逸脱を避ける危機管理としても優れたものだったと言えるだろう。

感染するかしないか、死ぬか死なないか、ではなく、人々が希望を失わないために祈る対象を、教皇は「実績」と共に提供した。ここで言う「実績」とは、「奇跡」を乞い願う人々の思いを支えてきたという実績であって、疫学的医学的な統計の実績でない。

突然の疫病を前にした不安を少しでも和らげてくれるものを、それまで見たことも聞いたこともない厄除けグッズに求める社会もあるが、世界最大の宗派であるカトリックのローマ教皇は、「誕生と死と復活」のサイクルを通して、すべての苦しむ人の声を聞き届けてくれる聖なる「母と子」の組み合わせを、奇跡の香りと共に世界中に提供した。
次章では、キリスト教と衛生観念との不思議な関係について考察してみよう。

第 4 章

イエスは手を洗ったのか

——「清め」と衛生観念

フランケン・アンブロシウス「パンの奇跡」(16世紀、聖母大聖堂所蔵)

ナザレのイエスは、教条主義化していたユダヤの律法や、それに基づいて伝統的に付け加えられてきた口伝を文字通り頑なに遵守する人々を批判した。彼は律法を守ることだけでなく、人間的な同胞愛にとって何が最も大切なのかに目を向けるよう説いた。とはいえ、そうした規則のすべてが教条主義や単なる偽善というわけではない。その中には当時のユダヤ人の知恵として、様々な「衛生」上の規則が含まれていた。

ラテン語の「救済（salus）」という言葉には、「魂と肉体の両方の救い」という意味が含まれている。けれども、キリスト教の歴史の中では、イエスが自らを犠牲にして全ての人の罪を贖ったという「道徳的（＝魂の）」救済の方が強調されてきた。つまり、病や死自体は回避すべきものではなく、「善き死」によって神の国で永遠に生きることを目指すべきだとされていたのだ。

それでも、「罪からの救い」だけでなく、「肉体の死からの救い」が切実に祈られる時がある。それは、死をもたらすような疫病の蔓延や、戦争で人々が苦しんでいる時だ。特に、梅毒のように早くから性感染症として認識されていた疫病については罪の観念が強く、第一回十字軍で兵士たちが歌うようになった「サルヴェ・レジーナ」は、天の女王であるイエスの母マリアに、「敵」と「（肉の誘惑をしかける）悪魔」の両方から守ってくださいと祈る歌だった。

とはいってもキリスト教では、少なくとも神学的見地からは、肉体よりも「魂の救済」の方がいつも重視されてきた。そのため、初期キリスト教の頃から、ユダヤ教で厳格に定められていた「衛生基準」を軽視する傾向があった。

ユダヤ教の律法やタルムードにある「清め」にまつわる典礼のほとんどは、各種の予防策でもある。例えば、割礼（かつれい）の義務付けや食物の禁忌などは、汚染や疫病感染のリスクを減らす実際的な効果をもたらした。旧約聖書の「レビ記」は、清いものと清くないものとに関する詳細な基準の説明に費やされ、出産後の母親の清め、伝染性皮膚病、男女別の個人的な穢れについて詳しく書かれている。

そうした清めに関わる実際上の運用は、「レビ人」と呼ばれる家系の者が担当し、彼らが衛生の専門家集団として祭司たちに助言をする。イエス自身も、「癩者」（英語で癩者を表す「レプラ」は「うろこ状の病変で覆われた」皮膚疾患を包括的に指す）に手を触れて癒した時に、その浄／不浄の鑑定をレビ人にしてもらうことで「神に選ばれた共同体に復帰」を許される手続きをすませるようにと指示している。

イエスがある町におられたとき、そこに、全身重い皮膚病にかかった人がいた。この人はイエスを見てひれ伏し、「主よ、御心ならば、わたしを清くすることがおできになります」と願った。イエスが手を差し伸べてその人に触れ、「よろしい。清くなれ」と言われると、たちまち重い皮膚病は去った。イエスは厳しくお命じになった。「だれにも話してはいけない。ただ、行って祭司に体を見せ、モーセが定めたとおりに清めの献げ物をし、人々に証明しなさい。」（「ルカによる福音書」五章一二〜一四節）

このように、全快を確認してもらった上でさらに捧げ物をすることで、病者はようやく「無罪放免」となった。

†皮膚病と公衆衛生

第1章でも論じたように、外側から症状が見える皮膚病には、厳格な公衆衛生の基準があった。まず、「重い皮膚病にかかっている患者は、衣服を裂き、髪の毛をほどき、口ひげを覆い、「わたしは汚れた者です。汚れた者です」と呼ばれねばならない。この症状があるかぎり、その人は汚れている。その人は独りで宿営の外に住まねばならない」（「レビ記」一三章四五〜四六節）とあるように、「癩者」は隔離されて、口を覆うマスクの着用を強制され、悔い改めを表現しなくてはならなかった。

「宿営」とは幕屋礼拝の場を中心に配置された居所だから、その外に追いやられるということは、人からも神からも排除されることを意味する。つまり、皮膚病にかかった者は、病にかかるという不運の上に「罪人」扱いをされ、様々な義務を課せられたのだ。

しかも、たとえ病気が全快したとしても、回復した人が「共同体の神と人との交わり」に復帰するために定められている手続きは、微に入り細にわたって規定された複雑なものだった。「レビ記」(一四章)はそのやり方に多くの言葉を費やしている(第1章参照)。

七日目になって再びすべての体毛を剃り、服と体を水で洗い、八日目に、供物(くもつ)と犠牲の動物を祭司に差し出し、祭司はいけにえの血を取り、清められる人の右耳たぶ、右手の親指、右足の親指に付ける。祭司は清めのいけにえを献げて、穢れから清められる人のために贖いをし、祭壇で焼き尽くすいけにえと穀物の供え物を献げる。祭司による償いによって病から回復した人は初めて清くなるのだ。

皮膚病の症状が消えてからも、患者はさらに七日間隔離されて「陰性」であるかを再確認される。これはまさに感染リスクをゼロにするタイプの公衆衛生策だが、儀式の複雑さによって、それが実際にどういう意味を持っているのかがわかりにくい。つまり、衛生的な制限が、社会的な制限の厳しさによって見えなくなっているのだ。

一に考えた。

†ファリサイ派と律法

これに対してイエスは前述したように、社会から疎外された病人を避けなかったばかりか、迷わずに手を触れて癒した上で、それを宣伝するわけでもなく、患者の社会復帰を第一に考えた。

イエス自身は、ユダヤ教の形骸化した衛生上の掟など気にもせず、その偽善性を暴きながら、何が本当に人の魂と肉体を救うのかを弟子たちに教えている。そのようなイエスの自由な行動は、教条主義的な人々を苛立たせた。「マタイによる福音書」一五章には、後のキリスト教文化圏の衛生観念に浸透したであろうエピソードが書かれている（「マルコによる福音書」七章も同様）。イエスとその弟子や信奉者たちの自由な生き方が既に知られていたので、ファリサイ派の人々と律法学者たちが、わざわざエルサレムからガリラヤのイエスのもとに調査にやって来たというエピソードだ。

後に起こるイエスの逮捕と弾劾劇から推測すると、その頃既にエルサレムのユダヤ最高議会サンヘドリンが、イエスを罠にかけ譴責（けんせき）しようと、学者たちを派遣したとも推測できる。

ファリサイ派はイスラエルの保守的な派閥で、律法を厳格に守るだけではなく、その解釈に携わる学者たちの権威によって律法を強化してもいた。その結果、聖書にある「成文律法」だけではなく、長い間ユダヤの長老によって伝承されてきた「口伝律法」も聖書と同じように重視され、安息日の過ごし方、一〇分の一税の納め方、清めの儀式の進め方などが厳格に守られた。イエスの時代には祭司職の腐敗もあり、律法学者が民衆の間でも権威として受け入れられていて、成文律法以上に「長老たちの言い伝え」とされる口伝律法の縛りが強くなっていた。

†律法学者たちによる「抜き打ち調査」

イエスとその弟子たちのもとにやってきたファリサイ人や律法学者が特に監視しようとしたのは、食事の前の手洗いであった。断食を行う洗礼者ヨハネとは異なり、イエスはもともと多くの弟子たちと飲み食いをする。その上律法学者たちのもとには、イエスが五つのパンと二匹の魚しかなかった屋外で、癒しを求めて集まっていた五〇〇〇人の人々を満腹にしたという奇跡が、既に耳に入っていたと思われる。イエスが一人で舟にいた時に群衆が集まってきたので、それを憐れんだイエスが船から降りて病人たちを癒した後のことだった。

夕暮れになったので、弟子たちがイエスのそばに来て言った。「ここは人里離れた所で、もう時間もたちました。群衆を解散させてください。そうすれば、自分で村へ食べ物を買いに行くでしょう。」

イエスは言われた。「行かせることはない。あなたがたが彼らに食べる物を与えなさい。」

弟子たちは言った。「ここにはパン五つと魚二匹しかありません。」

イエスは、「それをここに持って来なさい」と言い、群衆には草の上に座るようにお命じになった。そして、五つのパンと二匹の魚を取り、天を仰いで賛美の祈りを唱え、パンを裂いて弟子たちにお渡しになった。弟子たちはそのパンを群衆に与えた。すべての人が食べて満腹した。そして、残ったパンの屑（くず）を集めると、十二の籠いっぱいになった。食べた人は、女と子供を別にして、男が五千人ほどであった。（「マタイによる福音書」一四章一五〜二一節）

野外で多くの人を満腹にするという奇跡には、旧約聖書の「出エジプト記」において、モーセの導きでエジプトから脱出したユダヤ人たちが、「約束の地」に向かい荒野を移動していた時に、空から毎日マナが降ってきたという前例がある。

飢えに苦しんだ人々が「我々はエジプトの国で、主の手にかかって、死んだ方がましだった。あのときは肉のたくさん入った鍋の前に座り、パンを腹いっぱい食べられたのに。あなたたちは我々をこの荒れ野に連れ出し、この全会衆を飢え死にさせようとしている」と訴えた時に神がモーセにこう言った。

「見よ、わたしはあなたたちのために、天からパンを降らせる。民は出て行って、毎日必要な分だけ集める」（「出エジプト記」一六章三〜四節）。さらに「わたしは、イスラエルの人々の不平を聞いた。彼らに伝えるがよい。「あなたたちは夕暮れには肉を食べ、朝にはパンを食べて満腹する。あなたたちはこうして、わたしがあなたたちの神、主であることを知るようになる」」（一六章一二節）とある。

これはまだ約束の地カナンに着く前のことだから、ユダヤ人たちがマナを集めたり食べたりする時に手洗いを奨励されていたわけではない。そもそも「水による手洗い」の清めは、特に祭司に対して厳格に求められたものだった。

主はモーセに仰せになった。洗い清めるために、青銅の洗盤とその台を作り、臨在の幕屋と祭壇の間に置き、水を入れなさい。アロンとその子らは、その水で手足を洗い清める。すなわち、臨在の幕屋に入る際に、水で洗い清める。死を招くことのないためである。また、主に燃やしてささげる献げ物を煙にする奉仕のために祭壇に近づくときにも、手足を洗い清める。死を招くことのないためである。これは彼らにとっても、子孫にとっても、代々にわたって守るべき不変の定めである。(「出エジプト記」三〇章一七~二一節)

†手洗いのシンボリズム

その後、儀式における「清め」であった水による手洗いが、口伝律法によって一般人にも敷衍されるようになった。それが結果的に衛生上の効果と合致していたからこそ定着したのだということは大いに考えられる。だからこそ、イエスが野外で魚とパンをすべての人に行き渡らせたという奇跡は、もはやイエスが「主であり神である」ことを知らしめる根拠ではなく、「食事の前に手を洗う」という口伝律法への重大な違反と見なされた。

もともと手洗いとは、象徴的に体の中も外も清めることができるものと考えられてきた。旧約聖書において、手は人間の「真髄」だと考えられ、病を癒し、祝福し、血を流し、悪行を犯すなど、手によって実現される行為はすべて「心」から発するとされる。だから、旧約聖書の中では、手と心が詩的な表現でしばしばパラレルに表現されている。

「どのような人が、主の山に上り/聖所に立つことができるのか。それは、潔白な手と清い心をもつ人。むなしいものに魂を奪われることなく/欺くものによって誓うことをしない人」（『詩編』二四章三～四節）とあるように「潔白な手」は「清い心」と共にあった。そのため、口伝律法の中では、水洗いをすることで得られる「潔白な手」が「清い心」を担保しているかのように扱われるようになった。

食前の手洗いは儀式的に入念に行われた。そのためにはまず、常に水を満たした水がめを用意しておく必要がある。一ロッグの四分の一（卵の殻に入る水の一・五倍の量）の水をまず両手にかけ、指先を上に向けて、水を下方に流して、手首から下に落とさなければならない。穢れた手についた水は穢れているので、それがまた指の方に戻って指が穢れてしまわないように、まず指先を上に向け、次に指先を下に向け、反対の方から水をかけ、最後に片手ずつ、反対の手のこぶしでこすって清くする。口伝律法を遵守する教条主義者は食前だけではなく、料理が変わるごとにこのように手を洗っていたという。それは神の教えを守ることと同義だった。

†イエスの見解

「マタイによる福音書」一五章のエピソードに戻ろう。手洗いの抜き打ち調査にやってきた律法学者たちは、たちまちイエスの弟子たちが食事の前に手を洗わないことを「現行犯」として目撃し、イエスに「なぜ、あなたの弟子たちは、昔の人の言い伝えを破るのですか。彼らは食事の前に手を洗いません」と問いただしている。

イエスはこれに対してただちに、律法学者たちの「伝統の守り方」も矛盾していて偽善的であると言い返した。律法学者たちはそれに反論できなかったので、手洗いについてそれ以上問い詰めることもなかった。その後でイエスはあらためて人々を集め、「聞いて悟りなさい。口に入るものは人を汚さず、口から出て来るものが人を汚すのである」と述べ、さらに説明を求めた弟子たちにはこう答えた。

「あなたがたも、まだ悟らないのか。すべて口に入るものは、腹を通って外に出されることが分からないのか。しかし、口から出て来るものは、心から出て来るので、これこそ人を汚す。悪意、殺意、姦淫(かんいん)、みだらな行い、盗み、偽証、悪口などは、心から出て来るからである。これが人を汚す。しかし、手を洗わずに食事をしても、そのことは人を汚すものではない。」

イエスが「手を洗わずに食事をしてもその人を穢れたものにしない」と反論したのは、口伝律法による「食事前の手洗い」がもっぱら儀式的なものであったことを前提としている。細菌やウイルスなどの存在はもちろん知られていない時代だから、今日の衛生学的な意味での感染病予防のための手洗いではない。とはいえ、もともと儀式的に清める必要がある穢れは、皮膚病に罹患した人、死人、異邦人、死んだ動物などに触れることで生ずるとされ、その「触れると穢れるもの」の種類は膨大だった。それでも、それだけでは、「穢れるものに触れなければ穢れない」と考えられてもおかしくない。

それがどうして「食事の前の手洗い」が絶対守るべきものとなってしまったかというと、「穢れ」が伝承の中でどんどん広がっていったからだ。

例えば睡眠中に悪霊が手につくことがあり、儀式通りの手洗いをせずにその穢れた手で食事をすれば、食物を通して悪霊が体内に入るというネガティヴな言い伝えが生まれた。その逆に、イスラエルの地に住んで、手洗いをしてから食事をする者には、誰でも永遠の命が与えられるというポジティヴな言い伝えもあった。

この「穢れがいつ手につくのかわからない」と脅すことによる統制は、今日の感染症対策においても見られる普遍的なものであろう。特に、手洗いの儀式が習慣化しているユダヤ人同士ならともかく、異邦人との売買取引などでは、異邦人が手で触れた物は穢れているということになる。手を洗うことは、民族の清浄さを維持するためにも重大で象徴的な行為となっていった。

けれども口伝律法においては、その統制はさらに極端になる。「洗わない手で食べるより、洗う水を得るために何キロでも歩いたほうがよい」と言われたし、捕われて牢獄に入れられた場合も、口伝に反して手を洗わずに神の加護なしに死なないためには、たとえ飲料水が足りなくても、食前の手洗いのために水を使うこととされた。

イエスはそのような形式主義的な偽善を最も嫌った。「すべて口に入るものは、腹を通って外に出される」ので、悪霊や穢れが食物に付いてその人を汚すことにはならない。言い換えれば、たとえ手についた細菌やウイルスが食べ物を通して体に入り、それが体の不調を引き起こしたとしても、それは排出されるべき異物、免疫作用や薬で無化するべき対象でしかない。

このようにして、不調に陥った人を「穢れた者」として排除したり責めたりするのは間違っている、という自らの立場をイエスは表明している。穢れとは、心の中にある悪意、殺意、姦淫、みだらな行い、盗み、偽証、悪口が、口から出て他の人を傷つけることなのだ。洗い清めるべきなのは、手ではなく、心の中の穢れた思いなのである。

†普遍宗教の誕生

そうした断言は、イエスの他の言行と共に、当時の人々にとって十分に過激で革命的なものだった。律法には様々な「穢れた食べ物」があるが、ここでイエスが「口から入るものは穢れを構成しない」と言いきったことは、現在でもユダヤ教に続く、食物に関するタブーを否定するに等しい。

ユダヤ教の宗教指導者は外側を重視した。食物の種類を浄不浄に分けて禁忌をつくり、その調理法や手洗いなど、わかりやすく罰しやすい目に見える選別や行為に焦点を定めてきた。そのせいで、内的な「心」の問題は不問に付されてしまった。「心」の重要性を説いて、結果的に形式的な浄不浄の伝統を排除したキリスト教は、そのことでユダヤ人の民族宗教から地縁血縁を撤廃した「普遍宗教」を立ち上げることになった。

旧約聖書の三大預言書の一つである「イザヤ書」に出てくる「主の僕（しもべ）」は、罪を贖って死ぬため、イエス・キリストを予告しているとして有名だが、そこには確かに主の言葉としてこう書かれている。

わたしはあなたを僕としてヤコブの諸部族を立ち上がらせイスラエルの残りの者を連れ帰らせる。だがそれにもましてわたしはあなたを国々の光としわたしの救いを地の果てまで、もたらす者とする。（「イザヤ書」四九章六節）

ここには、イスラエルの民だけでなく、「国々」や「地の果て」という言葉が出てくる。

復活したイエスが昇天する前に、弟子たちの使命はイスラエルの再建ではなく、「ユダヤとサマリアの全土で、また、地の果てに至るまで、わたしの証人となる」(「使徒言行録」一章八節)と弟子たちに言い残したことと呼応する。「イザヤ書」の「主の僕」が達成できなかった普遍宗教への道が、こうしてイエスによって開かれることとなる。そのためには、浄と不浄で人を分別して共同体から排除する律法を、イエスは拒絶しなければならなかった。それが、食前の手洗いの拒否となって現れたというわけだ。

手洗いの習慣のおかげで、結果的に衛生状態がきわめてよかったであろうユダヤ社会と比べ、洗礼者ヨハネやイエスの弟子たちが手洗いを義務づけなかったことが、その後のキリスト教の展開に少なからぬ影響を与えることになった。

ヨハネは水による洗礼を多くの人に授けていたが、「らくだの毛衣(けごろも)を着、腰に革の帯を締め、いなごと野蜜(のみつ)を食べていた」(「マルコによる福音書」一章六節)とあるように、「食事の前の手洗い」をしっかりやっていたとは思えない。

✝ユダヤ教とキリスト教の清め

さて、律法学者たちが調査に来たこのエピソードにおいて、イエス自身は手を洗ったのだろうか。おそらく洗ってはいなかっただろう。もしイエスが手を洗っていたら、弟子たちもそれに続いていたはずだからだ。聖書の中の別のエピソードもそれをはっきりと示している。

イエスが話し終えると、ファリサイ派の人から食事の招待を受けたので、その家に入って食事の席に着かれた。ところがその人は、イエスが食事の前にまず身を清められなかったのを見て、驚いた。

主は言われた。「なるほど、あなたがたファリサイ派の人々は、杯（さかずき）や大皿の外側は清めるが、自分の内側は強欲と悪意で満ちている。愚かな者たち、外側を造られた方は、内側もお造りになったのではないか。むしろ、できることを施しとして与えなさい。そうすれば、あなたがたにはすべてのものが清くなる。（「ルカによる福音書」一一章三七～四一）

この箇所からも、微に入り細にわたって規定されていたファリサイ派の「清め」と、イエスの内的な「清め」とがまったく別のものだったことがわかる。イエスにとって信心深い行為とは、神に対する内的な愛に基づくものだ。それはユダヤの律法とは異なり、伝統的で形式的な手順ではなかった。

イエスにとっては、聖水も清い水も慈しみ（施し）に代わるものではない。神から恵まれた愛を引き継ぎ実践することが真の「清め」であるというこのイエスの考え方は、キリスト教が普遍宗教として弱者の支えになる出発点になった。けれども皮肉なことに、「内的な清さ」を絶対視するあまり、食前に杯や皿や手を徹底的に清めたユダヤ教が結果的に行うことになった衛生措置が、ある種のキリスト教では重視されないという流れを招いてしまう。

ちなみにイエスは、その後も野外で群衆に食物を与えた。今度は七つのパンと少しの魚を四〇〇〇人に分けるという奇跡である。それも、病人たちを連れてきてガリラヤ湖畔に集まった人々をイエスが癒した後の話だ（「マタイによる福音書」一五章三二～三八節）。このことからも、イエスが手洗いに関してファリサイ人を徹底して無視していたことがわかる。

†禁欲行の始まり

ユダヤ教条主義がもつ律法厳守の偽善を否定することから出発したキリスト教は、その後、ユダヤ社会から離れ、ギリシャ語を通してローマ帝国のヘレニズム文化と合流していった。その中でも、初期のキリスト教に影響を与えたのが、「肉体は魂の牢獄である」と考える禁欲的なストア哲学だ。

初期キリスト教世界では、「最後の審判」が近づいているという前提で、この世での欲望を捨てることが奨励された。実際にローマ帝国が衰亡の道をたどる過程で、エジプトのナイル河畔を中心に世を捨てて聖餐と祈りに専念して暮らす「砂漠の隠修士」と呼ばれるキリスト教の禁欲行者たちが現れた。洞窟に暮らし、様々な悪魔の誘惑を受けながらも、それに抵抗する彼らの姿は、ヒエロニムス・ボッシュによる「聖アントニウスの誘惑」などの絵画によって世界中に知られている。

また、三世紀のデキウス帝による迫害を避けて、北アフリカの多くのキリスト教徒が砂漠に避難した。砂漠は徴税を逃れる世捨て人の場所でもあったが、同時に霊的な場所としても認知されていた。聖書でも、モーセ、エリヤ、イエスらが、神と出会うために荒野で祈る姿が描かれる。女性修道者の始祖と見なされているマグダラのマリアがフランス南部に逃げた後、長い髪で体を覆っただけの姿で洞窟にこもって晩年を過ごしたという伝説も、キリスト教美術に多くの主題を提供した。

エジプトのメンフィスには、外界との接触を断って隔離生活を送る司祭たちの集団が存在した。聖アントニウス（三五六年没とされる）は、二〇歳の頃に「マタイによる福音書」（一九章二一節）にある「もし完全になりたいのなら、行って持ち物を売り払い、貧しい人々に施しなさい。そうすれば、天に富を積むことになる。それから、わたしに従いなさい」というイエスの言葉を文字通り実践し、「打ち捨てられた墓所」と呼ばれた砂漠の洞窟で二〇年間を過ごして霊的な完成に到達したとされる。それ以来、隠修士は世を捨てて、「生きた聖人」「白い殉教者」と呼ばれるようになる。

彼を慕う多くの人々が集まって集団

ティツィアーノ「懺悔をするマグダラのマリア」

生活を始めたことから、聖アントニウスは「修道院の父」と呼ばれるようになった。彼の死の翌年、アレキサンドリアの司教アタナシウスが伝記の中で彼を「徳の英雄」と呼びその生き方を奨励した。

その後、三世紀から四世紀にかけて、パレスチナ、カッパドキア、エジプトの荒野にはおびただしい数の隠修士が出現した。原罪前のアダムのような生活をしようとしたり、インドのヨガ行者のような極端な苦行を自らに課すことで、人間の条件を超えて天使に近づこうとしたりする者も出てきた。断食や鞭打ち、木の上で暮らすなどの禁欲苦行そのものが自己目的化しているかのような例も数多く伝えられている。

世間の目から完全に姿を隠した隠修士とは違って、集まってくる弟子に助言したり、アントニウスのように懇願されて隠遁所から出た後で、修道院を設立して後進の指導にあたったりする者もいたが、時として風変わりな苦行者も出現した。

「世を捨てて隠れる」という意味の隠遁が、「自らを隔離する」「狭い空間に暮らす」という意味に解釈され、人から隠れて閉じこもるのではなく、公衆の面前で「閉じ込められる」者もいた。こうした隠棲者たちの集団は、やがて禁域で暮らす修道院制度へと発達したが、「閉じ込められる」「狭い空間で暮らす」ことに特化した苦行は、後に教会や修道院に付属した「禁錮修道者」という特殊な形態を生むことになる。そのような「生きた聖人」は「巡礼者」を集め、そこで得られる寄付や供物は収入源にもなった。

†「閉じ込められる」ことの流行

「閉じ込められる」とは、正確に言えば、「自分の意志で閉じこもって外から封印させる」ということだ。それは同時に外からの侵入を許さない「禁域」を形成するので、そこにはある種の「異界」が出現する。

そうした伝統はエジプトの宗教にも存在していた。クレオパトラ時代の礼拝司祭（カトコイ）は神殿の独房に一五年も閉じ込められたままで、神託を告げたり夢解釈を行ったりした。「こちら側の世界」と行き来できない状況に置かれることで、彼らは「神の世界」とつながっていると考えられた。

キリスト教の砂漠の隠修士たちは、それにさらに「狭くて苦しい」という要素を加えるようになった。テーバイの隠者達は狭苦しいハイエナの穴で暮らした。一年に一度四〇日だけの隠遁修行をする者も、シリアの隠修士のようにわざわざ狭い小屋を建てて数年を過ごす者もいた。聖マルキアヌスの入った小屋は、背を伸ばすことも足を延ばすこともできない広さで、いるだけでとても苦痛な場所だった。

中が見えないように斜めに穿った穴を通して、水に浸したレンズマメを週に一度だけ差し入れてもらっていたという聖アセプシムは、体に巻いた鉄の鎖の重さで四つん這いになりながら、深夜に近くの泉で水を汲み、狼と間違えられて羊飼いから石を投げつけられたこともある。

また、聖サラマンは、窓や扉をすべて封じた地下の穴に、一年分の食料を蓄えて籠った。ほかにも、プラタナスの木の穴で暮らしたダヴドやアドラス、頭を固定するために石の重りを額につけたまま、棘のある穴の中で一一年間過ごした聖マロン、イチジクとオリーブの繁る丘の上で、直径一メートルの車輪二つの間に五〇センチの長さの板を張った籠を三本の棒で吊り下げた中で、頭が膝につく状態で祈禱書を読み続けた聖タレールなどがいる。

どこかに閉じこもったわけではなく、単に狭い場所で生きた例としては、登塔者シメオンが有名だ。シメオンは、四世紀の終わりに現シリア国境で生まれた羊飼いの息子で、一三歳の時に「ルカによる福音書」六章二一節の「今飢えている人々は、幸いである、あなたがたは満たされる。今泣いている人々は、幸いである、／あなたがたは笑うようになる」という部分に感動して、砂漠に入り隠修士となった。

やがて彼の聖性を聞きつけた人が集まり祝福を望み、教えを乞うたり、衣服の端に触れようとした。そうした騒ぎから逃れるために丸い柱の上に登り、立ったまま目を天に向けて神について黙想し、夜は手すりにもたれて少しだけ眠った。柱の下には、一日二度の説教を聞くために、ローマ皇帝までやって来た。彼は柱を替えながらも四〇年間このようにして生きた。このシメオンに心酔したある女性が、柱頭生活に特化した女子修道院をゲッセマネに作った。柱頭の上から説教をする神父を囲んで一〇〇人ばかりの修道女がそれぞれの柱の上で祈りを唱えたと伝えられる。

このように生活空間を縮小することが、世間との隔絶ではなく聖と俗の境界領域でのコミュニケーションであるとする「自己隔離型」の隠遁は、地中海沿岸からヨーロッパに入り、さらに七世紀頃には都市型の禁錮隠者も現れた。

緩慢な自殺にも似た過激な隠遁が流行るようになってからは、教会も野放しにしておけなくなり、公会議でも何度か取り上げられた。七九四年のフランクフルト公会議では、禁錮隠者になる前に、その地区の司教の認可を必要とすることが定められた。

さらに九〇〇年前後には、グリムライクという独居神父が、隠遁志願者は心身ともに健全で強い性格の者でなければならず、独居房に入る前には一年の準備期間を置いて神父と共に聖書の勉強をするなど、修道院規則を参考にしたラテン語の規則書を出した。

それでも一一世紀には女性を中心に禁錮隠者の流行がピークとなり、民衆にとって彼女らは疫病や飢饉を斥けるための「生きたお守り」となった。ペストで家族全員を失って世をはかなみ、死者の冥福（めいふく）（煉獄から出ること）を祈ることに余生を捧げるために閉じこもった女性もいた。一度自主隔離をすれば、食物は与えられ、ペストの感染リスクは減った。聖女イヴェット（～一二二八）は、「癩者」の世話に身を捧げたオランダの未亡人で最終的にベルギーの独房を死地に選んだ。

これらの苦行者が、疫病除けとして崇められたといっても、狭い独居房での生活自体は当然不潔だった。貧しい住環境の中では生理も止まり、排便も、兎の糞のように乾いた固いものだったという記録もある。

†罪の女タイスの悲惨な贖罪

五世紀に生きた「罪の女」で「独房型」聖女の典型として伝承されてきた聖女タイスの物語はすさまじい。タイスは五世紀頃にエジプトで生きた女優で高級娼婦であり、彼女をめぐって争った男たちが大勢命を失うほどに魅力的だったが、隠遁司祭が彼女を説得して悔悛させた。

司祭は彼女の贖罪のために、アンティオキアの砂漠の女子修道院にある独房に閉じ込めて錠前を鉛で封じ、そこにはパンと水を受け取ることのできるらせん状の穴だけが残された。それまで快適で奢侈な「罪の暮らし」に慣れていたタイスが「用をたす時はどこに行けばいいのですか?」と司祭に尋ねると、「房の中で済ますがよい、お前のこれまでの罪はそれくらいの苦行に値するであろう」と言われた。

「穢れでいっぱいのお前の口で神の名を唱えてはいけない。穢れた腕を神の方に差しのばしては行けない。座ったまま東の方を向いて「私を創った方、私をお憐れみください」とだけ繰り返すがよい」と言い残して司祭は去った。その司祭が戻ってきて扉を開けたのは三年後のことだった。

「夢の中で、天使が花で埋めた金の床を見た。天の声が、その床は聖アントニウスのものではなくタイスのものだと告げた。お前は赦されたのだ」と司祭が言った。タイスは、昼は燃える太陽に熱せられ、夜は氷のように冷える独房で、排泄物の山を背にして座りながら、自分の犯したすべての罪を思いながら泣いて過ごしたのだと司祭に語った。

独房から出て二週間後にタイスは死んだ。タイスの伝説は一九世紀末のフランスでアナトール・フランスにより小説化されマスネーによりオペラ化されるほど流布した。もっともその中では、異教の女祭司でもあったタイスが悔悛して救われたのに、司祭は自分の仕打ちが実はタイスに対する欲望の裏返しだったことに気づくという筋立てになっている。

†衛生と聖性

主としてギリシャ語で伝わり、中世ヨーロッパであらためて広まったタイスの「聖女伝」において確実なのは、こういう不潔で不衛生な状況でさえも、決して彼女の聖性を妨げるものではないと理解されてきたことである。

また、他者への感染リスクが低い隠者と違って、不潔、不衛生を受け入れ、時として人から避けられるような生活を送る放浪托鉢（たくはつ）型の信仰者にも、その悲惨ぶりを聖性に転換する道が開かれていた。前述したように、これはイナゴや野蜜で糊口（ここう）をしのいだ洗礼者ヨハネ型から、密集する人々と手洗いもせずに食事を分け合ったイエス型の聖性に、ストア哲学の禁欲評価が結びついた結果でもある。

私物を捨て、世俗のしがらみを離れてイエスに倣って生きるという理想は、キリスト教がローマ帝国の国教となり、帝国崩壊後に領土を寄進され、ヨーロッパの封建領主として政治組織と化した後も、アッシジのフランチェスコのような托鉢修道者によって受け継がれていった。

そのほとんどは、やがて定住を求められ、カトリック教会の認可を得て、体制としての宗教の中に組み込まれていたが、そのことで逆に、カトリック教会が原初に持っていた普遍性と持続性を更新し、改革を重ねることが可能になった。

中世のフランスでも、フォンテーヌブローの森の中の岩場や掘立小屋に住み着く隠修士の存在が記録されている。このような自然発生的な隠遁所は、カトリック教会だけではなく、歴代の王によってもしばしば摘発され、破壊された。衛生的でなかったのはもちろん、隠者のほかにも、癩者や障害者、犯罪者などの「棄民」が集まって「悪所」をなしていたからでもある。このように非衛生と聖性とは、いつも危ういバランスの上に成り立っていた。

†ブノワ・ラーブルの「洗わない」誓い

聖職者ではなく、不衛生な托鉢巡礼者として特筆に値するのは、近代啓蒙思想の時代に生まれた一八世紀の聖ブノワ・ラーブルだ。

一七四八年、フランスの地主の長男として生まれたブノワ・ラーブルは、幼い頃から敬虔で、家族からも将来司祭になるだろうと期待され、一二歳の時に代父（だいふ）で叔父でもある司祭に引き取られてラテン語などの教育を受けた。一八歳の時にチフスが流行し、病者の介護にあたっていた叔父が、自らも感染して死んでしまった。いったん実家に戻った後、六週間で追い出されたシャルトルーズをはじめ複数の修道院に志願したものの、若過ぎる、体が弱すぎる、極端な苦行志向、不安傾向などを理由にどこからも拒否された。

その後もようやく見習い修道士になったものの、罪を告白して免償されて聖体を授かることが恐ろしくてできず、病的な罪悪感を理由に最終的に受け入れてもらえなかった。そして、結局、自分の宗教的召命は托鉢の巡礼者として聖地を回ることだと確信するに至った。

彼はフランス、スペイン、スイス、イタリアの巡礼地を徒歩で三万キロも回ったと言われている。魂の潔癖さは肉体の不潔さを問題にしなかった。托鉢で恵んでもらったものをそのまま他の貧者に与えることも多く、ある監獄の地下壕の近くでは「聖母の連禱（聖母マリアの数々の異名を唱えるもの）」を大声で歌いあげて、得られた投げ銭を囚人たちに投げ与えた。

一七七〇年、二二歳で訪れたアッシジのフランチェスコの墓の上でフランシスコ会第三会（在俗会）会員のたすきを授けられる。そこで彼は、「贖罪苦行のために体を一切洗わない」という誓願をした。時は既に近代の始まり、「啓蒙の世紀」である。宗教改革の時代を経て、ヨーロッパ中世の経済を支えた巡礼文化も衰退していた。そんな時代に巡礼の杖と荒布の上着、フェルト帽に水筒と時禱書だけを身に着けたブノワの不潔さ、体中に虫が蠢いている様子は有名になり、嘲笑する者も多く、襲撃されることさえあったが、彼はいつも微笑みで返したという。

†落伍者の守護聖人

ブノワには救急医療の知識もあった。一七七二年の末、二度目のローマ巡礼（一七七四年着）に向かうブノワは、南仏の村で大雪に遭遇して凍死寸前のところを農家の犬に発見されて保護された。回復して退去する前に礼として、人を救う「骨接ぎ」の技術を教えた。その家族は、ブノワの預言通りそれ以来七代二〇〇年にわたる高名な「骨接ぎ」の家系となり、エクス・アン・プロヴァンスにはその子孫である高名な医師の名を冠した通りが今でも残っている。

ブノワは、最後に訪れたローマでの六年をコロッセオの廃墟で過ごし、夜になるとサンタ・マリア・アイ・モンティ教会で祈るのが常だった。一七八三年の聖水曜日の朝に、その教会前の階段で倒れているのを肉屋に発見され、夕方に息を引き取った。すると「聖人が死んだ」という知らせが瞬く間に知れわたり、遺体に触れようとする群衆が家に押し寄せたため、ブノワの遺体はサンタ・マリア・アイ・モンティ教会に移された。

復活祭の土曜の夜に、祭壇近くに墓所が掘られ棺が置かれた。翌月からはブノワの墓で祈る人々に「奇跡の治癒」が相次ぎ、彼を即座に列聖してほしいと叫ぶ人もいた。結局ブノワが列福されたのは一九世紀後半になってからだ。一八六〇年の五月に列福、一八八一年一二月八日の無原罪(むげんざい)聖母の祝日に聖人の列に加えられた。

その時代のブノワの故郷フランスでは反教権主義が高まっていた上に、公衆衛生の意識も高くなっていた。「聖乞食」「汚物の状態での死」などと揶揄され、彼の「体を洗わない誓い」をからかったシャンソンが生まれ、「列聖されたノミ」「南京虫の食糧庫」「汚物の塊」などとモンマルトルで歌われるほどだった。

このようにして、ブノワは放浪者、物乞い、ホームレス、巡礼者、落伍者の守護聖人となり、遺骨は故国フランスの諸教会にも分けられた。「聖遺物」として、人々の祈りを神に取り次ぐものになったのだ。

聖職者ではないばかりか、いわば確信犯的に不潔な状態を貫いたブノワに、民衆は最終的に聖性を見いだした。それは、ユダヤの律法における手洗いの「清め」の偽善性を批判したイエスから、ストア派の禁欲主義を経て荒野の隠修士や独房隔離型の隠者たちにまで脈々と受けつがれたキリスト教の集合意識の中に、衛生観念が正しく組み込まれていなかったことを反映している。

人の腸内でバクテリアが共生して働いているように、キリスト教の内部でも、浄と不浄、清と濁、聖と俗が共生することによって聖性が活性化された。それによって末端の新陳代謝が絶えず機能してきたことが、現代に至るまでローマ教皇という首長を戴くカトリック教会の存続を可能にした一要素だといっていいだろう。衛生観念と聖性、心の清らかさと肉体の軽視、疫病介護の必然性と奇跡の治癒の重要性などの矛盾したレトリックが、キリスト教文化圏を養ってきたのだ。

†ワクチンの発明

「清さ」を固持するためによそ者を受け入れなかったり、異物と化した者を共同体から排除したりする社会では、「穢れ」は疫病のように厭われ、疫病が「穢れ」を伝染させる。

様々な過ちや逸脱を繰り返すたびに普遍主義に回帰してきたカトリック教会は、疫病対策に何度も取り組みながら、医学、衛生学の発展と、神学的公正さとの間で揺れ動いてきた。

とはいえ、一七世紀にラ・フォンテーヌが「怒った天が地上の罪を罰するために遣わした悪」とペストを形容したように、防疫や治療の意識の高まりとは別に、人々が疫病を神罰と結びつける信心は根強かった。

一七九六年にエドワード・ジェンナーが、八歳の少年に牛痘の後で天然痘を接種すると、その発症が防げたことから、牛痘接種が一気に広まり、ジェンナーは「免疫の父」と呼ばれた。致死率が高く、予後も瘢痕(はんこん)を残す天然痘のワクチンは、その後も改良されて二〇世紀にはウイルスの根絶に至った。

牛痘接種の前には、天然痘患者の膿を接種して軽く発症させることで免疫が得られることは早くから知られていたが、動物由来のものでそうした実験をするのは画期的なことだったろう。ローマ教皇レオ十二世(在位一八二三〜二九)は「自然の法則に反する悪魔の新発明」として、教皇領内での牛痘接種を禁止した。ちなみに、ワクチンという言葉はラテン語の「牛」に由来するものだ。

その後、ワクチン接種によって、二〇世紀には天然痘が地球上から根絶されたと言われたが、天然痘の株を生物兵器として保存している国があるのではないかという懸念から、天然痘ワクチンもまた保管されることになった。二一世紀初頭に同時多発テロによる攻撃を受けたアメリカでは、天然痘攻撃を恐れて国民全員にワクチンを準備をしていたという。

さらに、イラクのサダム・フセインが天然痘生物兵器を用意しているとされたため、神の名を掲げて「十字軍」のようにイラクに侵攻した米軍兵士全員にワクチンが投与され、その副作用で一〇〇人もの兵士が命を落とした。既に根絶された疫病のワクチンによって犠牲者が出たという皮肉な出来事だった。

一九世紀に、微生物が動物や人間の身体に感染する病原体であると確信したルイ・パスツールは敬虔なカトリックだった。外科手術における消毒に合理的に対処し、弱毒化した微生物の接種で免疫を獲得することを理論化して、ウイルスの姿を確認することができなかったのにもかかわらず、犬の体で培養した狂犬病のワクチンを開発した。彼にとって、ワクチンとは「病原菌という小悪」を投入することで救いの機能を発揮させるというものだった（終章参照）。

†「奇跡の治癒」の複雑化

同じ一九世紀のフランスでは、ピレネー山麓のルルドで「聖母マリアのご出現」があり、「奇跡の泉」が湧き出した。泉に浸かる病人の回復不可能な難病が続々と「奇跡の治癒」を得た。そこで、「奇跡」が認定されるための基準が何重にも設けられることになり、列福や列聖の認定に必要とされる「奇跡」の基準と同じように、民間信仰を牽制するために複雑化していった。

奇跡の治癒認定を申請するためには、気の遠くなるような医学審査を含む役所の手続きが必要とされたため、科学主義の行き過ぎではないかと批判された。「回復不可能な難病」の定義も医学の進歩と共に変わっていく。審査情報は公開され、後代の医者がカルテを調べて、治癒の「説明不可能性」という壁を新しい知見によって打ち破ることも許されている。

それによると、一八五八年から一九一三年までに認定されたルルドの「奇跡の治癒」の四分の三が「結核」だった。当然、医学が発展すればするほど「説明不可能な治癒」は減っていく。

「説明不可能な治癒」と認められた例が「奇跡」と認定されるにはさらに高いハードルが

ある。一〇年は再発がないことや、治癒を得た人物の生活態度までが評価の対象となり、正式に「奇跡」と認定される「治癒」の数は一五〇年間に七〇例ほどしかなく、それはバチカンによる列福列聖のための奇跡認定よりもはるかに少ない。

この聖地で、無償で供与されるルルドの湧き水は、電極分解率ゼロの分子配列を持ち、細菌が増殖しない不思議な清い水だと言われるが、多くの病者を浸すために並べられた浴槽に引かれた水は、病者ごとに毎回入れ替えられるわけではない。

もちろん、どんな重病人でも、皮膚病患者でも、ここで全身浴をすることができる。しかし、二〇世紀半ばまでは、そこに通常の衛生対策などは存在しなかった。それなのに、水浴せずにルルドで祈る、水を飲んだり水で顔を洗ったりする、ミサにあずかる、聖体行列を見る、それらのどれかを行うだけで、「説明不可能な治癒」は起こり続けたのである。

†生きる意味を模索する

一方、ルルドで、全身浴の前にシャワーを浴びなかったせいで感染症が広がったという例はない。水の温度は低く、短い祈りを唱える間だけの入浴であり、心理的な要因も加わってか、これまで事故が起きることもなかった。

結核のように、医学によって原因が究明され、治療法が確立される病気が増えてくると、病の原因はもはや宗教の守備範囲ではなくなった。衛生観念も劇的に変わり、予防医学が発展した。そのような世界の変化を前にして、カトリック教会はやがて、病の原因や治療よりも、「生の意味」を模索するという立場へとシフトしていった。

医学や科学の発展という名のもとに、人間が命の生物学的なメカニズムにどんどん介入していくことの意味が問われるようになった。機械論的、統計学的な医学が医薬産業と結びついて暴走するリスクの高まる世界で、今でも無数のボランティアが世界中から集まるルルドは、もはや「奇跡の治癒」を願う聖地というよりも、「よりよく生きること」の意味を問い続ける場所となっている。

二〇二〇年五月末、新型コロナウイルス対策のために、公開ミサが三カ月禁止されていたフランスのカトリック教会が再び信徒を迎え入れた時、普通なら教会に入ってすぐ指に水をつけて十字を切るために置かれた「聖水盤」には、水が入れられていなかった。

その代わりに、アルコール・ジェルによる手指の消毒が義務づけられた。聖体パンを直接口で受けることも禁止され、両手を重ねて受け取る。司祭や助祭たちは聖体パンを扱うごとに手指の消毒を繰り返す。信徒は消毒した指で聖体パンを手に取った後、マスクをそっと持ち上げて口に運んだ。

二〇〇〇年前のイエスは、数個しかなかったパンを増やして四〇〇〇人や五〇〇〇人もの人の腹を満たす奇跡を起こした。さらに「最後の晩餐」では、無酵母パンを「これは私の体である」と言った。その記憶が、「聖体パン」を分け合う教会での「聖餐」にまで連綿と続いてきた。皆が聖水に指を浸け、その後の平和の祈りでは、見知らぬ隣人と握手し合い、その手や口で聖体パンを受け取る。聖餐を延々と続けてきたヨーロッパのカトリック教会は、「手洗い」や「衛生」の対策を堂々とスルーしてきた。そのやり方が一〇〇〇年以上も続いた後で、二〇二〇年のコロナウイルス蔓延によって突然、感染症のリスクゼロを目指すことになったのだ。

政府によるロックダウン政策のせいで、ルルドの聖域も扉を閉めた。解除後も、五〇〇〇人以上の集会が禁止され、外国からの巡礼団も来ない。それでも、一八五八年の聖母最後の御出現を記念した七月一六日には、「ルルド・ユナイテッド」という企画で、ルルドから各国語のミサがテレビやネットで一日中配信され、そこにリアルタイムで多くの人々がコメントを寄せた。

外出規制の間も毎日の「ロザリオの祈り」が配信され、誰でもリアルタイムでルルドの洞窟を見ることができた。様々な祈願の手紙も続々と届いたという。人々がルルドに求めるのが「場」の持つエネルギーでもあることは確かだが、こういう形で、「感染リスクゼロ」の聖域と巡礼が実現したことが、人と病と神の関係をこれからどのように変えていくのかは、まだわからない。

次章では、疫病がキリスト教文化圏において、経済や政治にダメージを与える中で、人々が「神」に向ける視線がどう変わっていったのかを具体的に見てみよう。

第５章
疫病に翻弄された西洋
——ペスト・赤痢・コレラ・スペイン風邪

パウル・フュルスト「感染を避けるために嘴状マスクをつけたペスト医者」（17世紀）

†ヨーロッパとオリエント

二〇二〇年の新型コロナウイルスによるパンデミックは、先進国の大都市を軒並み経済麻痺に陥れた。同様の経済危機を伴った最初の大規模な疫病は、一四世紀にイタリアのフィレンツェを襲ったペストだろう。一五世紀半ばに始まる「大航海時代」以前のヨーロッパはまだ、大西洋の向こうに何があるかを知らなかった。ヨーロッパにとっての異国、異文化地域とは、十字軍遠征以来開けた交易路を通った東側、すなわちオリエントのことだった。

中でも、地中海に突き出す半島であるイタリアには、ヨーロッパで最もオリエントに向けて開かれた領邦国家が集まっていた。それに対して、レコンキスタが終わってカトリック王が支配したスペインやポルトガルは、地中海の西端に位置していたので、航海術が大きく発展するにつれて、オリエントとは反対方向に大西洋の交易路を開拓することになった。

一五世紀半ばには、オスマン帝国がビザンツ帝国を滅ぼして地中海の制海権を得たことにより、交易に高い関税がかけられたという事情も背景にある。それより前の一四世紀には、イタリアの諸都市国家が、イスラム商人やヴァイキングも含んだオリエントとの交易で莫大な富を蓄積しつつあった。そんなイタリアが真っ先に、オリエントからやってきたペストの感染地となったことは不思議ではない。

二〇一九年の春、中国が提唱する「一帯一路（いったいいちろ）」経済圏構想の覚書に、G7のメンバーとして最初に署名したのがイタリアだった。イタリアはユーロ圏で三番目の経済大国だが、景気後退に陥っていた。「一帯一路」とは、地域の協力、開発、連結を促進するためのインフラ投資と建設プロジェクトなので、加盟国は貿易やエネルギー、交通などのネットワークへのアクセスが可能になる。

イタリアが持つ港湾のインフラ資産は、中国にとってヨーロッパの交通網にアクセスできる魅力的なものだった。同時にイタリアにとっては、中国からの輸入品の二%未満しか占めていない海洋輸送を増やすことができる。一四～一五世紀のオリエントとの交易という歴史の記憶も、ドイツやフランスなどとは比べ物にならないから、そのハードルは高くなかった。

既に北イタリアのプレタポルテやオートクチュールの製造現場には多くの中国人の共同体が形成されていて、モード系サロンでも中国人のバイヤーが大きな割合を占めていた。そんな北イタリアが、二〇二〇年初頭にヨーロッパで最初の新型コロナウイルス感染の中心地となり、あらためて経済と疫病の関係の深さを思わせた。

†フィレンツェの経済対策

一三世紀に共和制になったトスカーナ地方のフィレンツェでは、商人と職人による同業者組合に支えられて毛織物製造業が発展し、商店が密集した都市に多くの労働者を抱え、交易では、アルノ川を通して、一大港湾都市であるピサとつながっていた（ピサは一五世紀初めにフィレンツェに併合される）。

一三四七年から五二年にヨーロッパを襲ったペストの第一波がフィレンツェに上陸したのは一三四八年三月のことだった。一三三八年には一二万人だった人口が、一三五〇年には四万二〇〇〇人に減ったのは、膨大な死者数のせいだけではない。一三五〇年前後にボッカッチョが書いているように、多くの人が、町も家も土地も財産も親兄弟も捨てて身一つで町から逃げ出したからだ。

フィレンツェは決して非衛生的な町だったわけではない。ただ、一三二〇年から三〇年にかけて既に「衛生法」が公布されていたものの、それは要請程度にしか機能していなかった。しかし、このペストの間、市政府の権力が強まり、市民生活への介入が始まる。ピサやジェノヴァから買い入れた穀物をフィレンツェ市の外に出すことを禁じ、価格を統制し、フィレンツェ市民にのみ分配した。その分配を当てにした物乞いたちが近くの地方から大挙してフィレンツェに流入したと言われている。

一三六三年と一三七四年にもペストの第二波、第三波が襲ったので、フィレンツェの経済は不安定なままで、人口回復には何十年もかかることになった。けれども、働き手の絶対数が減ったことで、働き口は十分という状況になり、労働者の売り手市場で給金も増えた。

この経済危機を乗り越えるために、主産業である毛織物業は、それまでの効率の悪い古い機械を捨て、技術を刷新して効率を高めた。その結果、ペストの第一波が収束した後の一三五五年には、年間一五〇〇点の毛布を輸出するまでに回復する。同時に内需を守るために、一三九三年には輸入毛布の関税を引き上げ、金融業で頭角を現したメディチ家が商人と共に行政に加わって、一四三二年には輸入の全面禁止に至った。

†新政権による疫病対策

その背景には、それまでにペスト対策に当たった政府の役人の実に八〇％がペストで命を失ったという現実があった。そのせいで、ペストの犠牲の少なかったメディチ家のような特定の一族を中心に独裁的、強権的な新興政権が立ち上がり、経済政策を主導するようになっていたのだ。

新政権による経済対策は迅速で、もちろん衛生対策を優先したものとなっていた。とはいえ、当時ペストは空気汚染によるものだと思われていたので、試行錯誤を繰り返さなければならなかった。

対策の第一段階は、市民がバランスのよい食事をすること、体を浄化すると言われていた「瀉血」（血を抜くこと）の頻度を増やすこと、香木、香草などを炊いた焚火（たきび）によって空気を浄化することなどだった。

第二段階は、病人への訪問を禁止または制限すること、町の通りを毎日清掃すること、病気を持っていそうなよそ者を町に入れないこと、ペストによる死者の着ていた服や住んでいた家を燃やすことだった。

第三段階は、一五世紀になって行われた。感染者を病院に徹底して隔離すること、町の広範囲を消毒すること、感染者がいると思われる外国船に四〇日間の入港禁止を義務付けること、また都市の周囲を無人地帯で囲むことなどだ。

それらの疫病対策と経済復興対策は、宗教における新しい信心形態の登場と歩調を合わせることで、より効率的になった。身近に迫る死を前にして、人々は、財産を貧者に分け教会に納めることで、死者が天国へ行けることを願い、司祭に告解して、終油の秘跡にあずかった。

死者の魂が煉獄に留まらないように、死者のためのミサが増え、聖母マリアや聖ロコス、聖セバスティアンなど「ペストの守護聖人」にとりなしを頼む祈りが続いた。贖罪のための行列も盛んになったが、自分を鞭打つなどの過度なものは教会から規制された。

神秘家で当時大きな影響を持っていたシエナの聖カタリナは、在俗ドミニコ会員として過激な苦行をし、飲食も断ち、シエナにペストが流行った時には駆けずり回って看護にあたり、神にとりなしの祈りを頼んで多くの「奇跡の治癒」を得た。

しかし、神のお告げを受けて教皇や高位聖職者を批判したカタリナは、「経済や政治や衛生のガイドライン」を逸脱していたので、一三七四年にフィレンツェのドミニコ会に召喚されて注意を受けている。「バランスのよい食事」と「衛生対策」に逆行するようなカタリナや、清潔とは言えない托鉢説教師が民衆の心をとらえることは、教会の望むところではなかったようだ。

✝慈しみのマドンナ

信徒や修道者による疫病退散のパフォーマンスは、政治と経済の方針には添わなかったので、その代わり、人々を救うシンボルとして積極的に掲げられたのが聖母マリアだった。町にあふれるペストの犠牲者の姿は民衆を恐れさせた。それまでは、死後に地獄に堕ちる

ピエロ・デッラ・フランチェスカ「慈しみの聖母」

ことや煉獄で贖罪の苦しみを恐れていた人々が、「死」そのものを恐れるようになったのだ。「メメント・モリ（死を思え）」の考え方がこうして生まれた。地獄だけではなく、骸骨の姿をした死の舞踏や、アポカリプスなど、ますます不吉なイメージが蔓延して恐怖を煽った。

そんな恐れを緩和して、フィレンツェの復興と再出発、そして興隆を可視化するために、メディチ家などがパトロンとなり、「慈しみのマドンナ」をモチーフにした絵の製作を続々と発注した。それによって描かれた絵には、「慈しみのマドンナ」が広げたマントの下に避難さえすれば、町は守られるという様子が表現されている。

ペストが終息し、経済復興に向かっていたフィレンツェは、次にローマ教皇との戦いに突入せねばならなかった。当時アヴィニヨンの教皇庁にいたグレゴリウス十一世が、イタリア内の教皇領の支配権をめぐってミラノのヴィスコンティ公と争った時に、フィレンツェは教皇側に立たなかったことで批判されたのだ。トスカーナに侵攻するはずだった教皇の傭兵軍がアルプスを越えないように、フィレンツェの教会組織が傭兵のリーダーを買収し、年金を支給した。その交渉にあたったのが八人のフィレンツェ市民で、彼らは後に「八聖人」と呼ばれるようになった。

一三七六年、怒ったローマ教皇はフィレンツェの政府全員を破門、フィレンツェにおけるカトリック教会の全ての典礼を禁止、ヨーロッパ中のフィレンツェ商人の財産を没収する命令を出した。フィレンツェの各種の信心会や過去に異端とされた派閥がそれに抗議し、フィレンツェにある教皇庁の異端審問所に火を放った。

フィレンツェ政府は、これまで通りの冠婚葬祭は合法としたが、翌年にはカトリック聖職者に典礼を再開するよう命令したことで、教皇に従う義務のある司教らはフィレンツェを去った。政府は彼らの財産を没収し、罰金を徴収し、その規模はまるで後の宗教戦争での戦いのようだった。また、それまでカトリックの教会法で禁じられていた「利子を取る金融業」などの規制もすべて撤廃された。

グレゴリウス十一世は、イタリア内の教皇領を守るために、一三七七年にアヴィニヨンを去ってローマに戻ってきた（翌年に彼が死んだ後で教会大分裂が起こる）。フィレンツェはミラノなどと同盟を結んで教皇軍と本格的に闘うこととなり、その戦費は二五〇万フロリンに達した。一三七八年、フランス人であるグレゴリウス十一世の死後、ナポリ人であるウルバヌス六世が選出された。今度は、これに不満を持つフランス人枢機卿らが、スイス出身のクレメンス七世を選出してアヴィニヨンに戻ったことで、「教会大分裂」時代が始まった。

その機に乗じたフィレンツェと同盟軍は、ナポリ出身のウルバヌス六世とティヴォリで平和条約を締結した。グレゴリウス十一世はフィレンツェに一〇〇万フロリンの賠償金を要求していたが、ウルバヌス六世は二〇万フロリンで妥協し、フィレンツェのカトリック教会が回復された。

†下級労働者たちの反乱

一方、宗教的和解は達成されたものの、同じ一三七八年のフィレンツェでは、チョンピの反乱が勃発する。毛織物工業や銀行家は組合（ギルド）を結成して政治と結びついていたが、梳毛（そもう）など羊毛加工の最初の工程に携わる「チョンピ（下級労働者）」たちは組合にも属さず参政権もなかった。

ペストの後、こうした下級労働者の数が増え、インフレが起きて格差が増大する。それに対して、チョンピは給料の値上げ、工程別の組合の結成、市政への参加などを唱えた。教会や新興商人メディチ家は、この現象を「神による自然秩序への回帰」と受けとめて支持し、一時期は先駆的な民主主義社会が誕生するかに思えた。

しかしチョンピらがさらに、不労年金生活者の市政参加禁止、穀物税の撤廃や生活必需品の価格引き上げなどを要求し続けるうちに、その活動が過激だとして弾圧され、内部分裂が起こり、これを支持したメディチ家のサルヴェストロも追放されることになった。反乱を率いて共和国の指導者にまで選出された、梳毛工ミケーレ・ディ・ランドはチョンピを見捨て、フィレンツェから離れて戻ることはなかった。

フィレンツェと同様に、ペストに襲われたヨーロッパの他の国でも、最下層の労働者らが、生存権と社会的な公平さを求めて立ち上がっている。このように、ペストが政治、経済、宗教、社会に与えたダメージは重大なものだった。経済と生命とのバランスの回復は、長い道のりを遅々として歩む苦渋に満ちたものだ。それでも、疫病という試練を共有することが、社会、経済、政治を深いところで修正していく契機となったことは注目に値するだろう。

その後のフィレンツェは、金融業で裕福になったメディチ家によってルネサンスの黄金時代を迎えた。その立役者だったメディチ家のロレンツォの息子は、教皇レオ十世となってサン・ピエトロ寺院の建設を引き継ぎ、ミケランジェロやラファエロのパトロンとなってローマの文化界に君臨した。また、ミケランジェロはフィレンツェでサン・ロレンツォ（メディチ家の礼拝堂）の建設にも携わっている。

チョンピ革命の英雄だったミケーレ・ディ・ランドの像は、一九世紀末以来今もフィレンツェのメルカート・ヌオーヴォ（新しい市場）のロッジア（回廊）に置かれている。

†フランス王の聖性と感染症治療

二〇二〇年の新型コロナウイルス流行時に、フランス政府が罰則付きの外出制限を全国民に課して、全体としてはそれが粛々と守られたことには、ヨーロッパの中でも驚きの声が上がった。普段は個人主義が強く、自由の権利を至上価値のように唱えるフランスで、しかも感染が東部や首都圏に集中している状況で、全国一律に外出制限をしたのにもかかわらず、抗議の声は上がらなかった。

実際は、そのおかげで、隣国であるイタリアやスペインでのような医療崩壊が起こらず、また、重症者を地方に移送することで、「治療の優先順位」を決める選択を迫られずに切り抜けることができた。このように政府の方針に人々が粛々と従ったことについて、「カトリック文化圏でローマ教皇に従う伝統があったから」とか、「絶対王政の中央集権があり今も大統領が「神」としてふるまうから」など様々な理由が語られた。

　ローマ教皇と王、二つの権威のせめぎあいがフランスの政治風土を育ててきたのは確かである。そして、それぞれの権威を担保するものの一つが、疫病に対する治癒の業であった。一世紀、ユダヤ人の共同体から排除されていた、心身の病を抱えて苦しむ人々を、ナザレのイエスが次々と快癒して信奉者を増やし、その癒しの業が弟子たちにも伝えられてキリスト教が生まれた。

　その後ローマ帝国に広がったローマ・カトリック教会の首長であるローマ教皇は、領土の寄進を受けた封建領主であると同時に、イエス・キリストの第一弟子ペトロの後継者であり、「キリストの代理人」でもあるとされる。ローマ帝国滅亡後にドイツの領邦国家群をベースに構想された神聖ローマ帝国の皇帝との間にも様々な軋轢（あつれき）があったし、前述したミラノやフィレンツェの都市国家群とも緊張関係が絶えなかった。

　国土の拡大と統一を進めていたフランス王は、教皇庁をフランス内の教皇領であったアヴィニヨンに移し、フランス人教皇を選出させることで、ローマ・カトリック教会を自らの手駒にしようとした。英仏百年戦争を含むそのような混乱期を経て、やがてフランスにはパリ大学神学部を政権下に置く安定した中央集権国家が成立した。

一六世紀の宗教改革の時代には、ユグノー（プロテスタント）戦争を経て、地方にいた王位継承者がプロテスタントからカトリックに改宗してパリにやってきて、条件付きで「信教の自由」を認める先駆的な「ナントの勅令」を出してまで「王国」の基盤を強化することになった。

†王権神授説と国王による癒し

そんなフランス国王の王権を絶対化する根拠が「王権神授説」だった。

フランス王が死ぬと、次の王の戴冠の儀礼が整うまでの、時には数カ月にわたる準備期間を通じて遺体が寝室に安置され、食事を供されるなどして、まるで生きているように扱われた。

「王の体は死んでも王権は不滅である」という考え方に従い、王は埋葬の瞬間に初めて死を宣告され、その際には「新王万歳」と叫ばれた。一方で、王の権威を保障する目に見える聖性もまた必要不可欠とされ、戴冠式で行われる「聖油の塗油」という秘跡によって新たに付与されることとなった。

王への聖油の塗布は、旧約聖書の「詩編」に起源がある。「サムエル記（上）」にもユダヤ民族の最初の王であるサウルやダビデへの注油の話があり、注油とは神が王を選ぶ外面的な証であり、選ばれた王は堰を切った奔流さながらに、神の霊を授与されるのだとある。聖油を塗布されたフランス王が、自分を神の子になぞらえる意識を持つようになったことも不思議ではない。

戴冠式ではランスの司教が聖油を注ぎ、王は「神の恩寵によって王である……」と署名をした。ここで使われる聖油は、五世紀末にフランク王国メロヴィング王朝のクローヴィスが洗礼を受けた時以来のものであると言い伝えられ、一一世紀頃から戴冠式に使われてきたものだ。

フランス王は「個人」ではなく「体制的偶像」と考えられてきた。女性名詞である「フランス」は「カトリック教会の長女」と呼ばれ、フランス王は「教会の長男」だと自負した。「教会」という言葉が女性名詞で「イエスの花嫁」と呼ばれることから、フランス王が教会の長男だと自称することはすなわち、「イエスの長男」という立ち位置で神と自分を重ね合わせることを正当化した。王が王笏で触れることによって貴族を叙階することも、司教が按手によって司祭を叙階することとパラレルになっている。

さらに、王の聖性を証明するために加えられたのが「治癒の能力」である。戴冠式で聖油を注がれたフランス王は、「王が触れ、神が癒す」と唱えながら瘰癧（頸腺結核）患者に手を触れて治療する能力を得るとされる。

敬虔なルイ九世（聖ルイ王）の時代には週一度の按手が行われた。ルイ十世以降は、戴冠式の翌日に、フランス北東部にある聖マルクーの聖遺物に巡礼してから按手を始めた。聖マルクーとは、六世紀のノルマンディで修道院を設立した司祭で、瘰

アンリ二世による按手

癧や潰瘍を治癒したと言われ、その聖遺物が民衆の崇敬の対象になっていた。

フランス王の按手による瘰癧治療は広く知られたため、近隣諸国からも病人が押し寄せて、宿泊施設に泊められ施しも受けたので、一五世紀からは病人が王に謁見する前に、まず医師による診察を受けて、本当に瘰癧患者であるかを診断されるようになった（宗教戦争の最中、王位に就くためにサン・ドニのカテドラルでプロテスタントからカトリックに改宗したアンリ四世は、ランスでなくシャルトルで戴冠式を挙げざるを得なかったためにその儀式を行うことを妨げられ

た)。

†按手と政治

戴冠式の後ばかりではなく、毎年の復活祭の期間にも、王による瘰癧患者の治癒は続き、王はその前に聖マルクーに祈った。当時の四旬節は、年一回の告解によって一年間の罪が全て免償されることと同義だった。国王に愛妾(あいしょう)がいるなど、カトリック教会的に「罪」とされる所業は横行していたが、それが赦されると、聖体拝領(せいたいはいりょう)をすることも認められ、癒しの力が戻ってくると考えられたのだ。

フランスの絶対王権は太陽王ルイ十四世において頂点に達した。彼は、聖性の表れであるこのシンボリックな按手を重視し、在位中にヴェルサイユ宮のオランジュリーに集まった二〇万人に及ぶ瘰癧患者に触れたと言われる。ただしそこでは、従来の「神が癒す」という表現を「神が癒すように」と変更した。神は、その治癒が病人にとって霊的に良いことかどうかによって、癒すか癒さないかを決める。王はあくまでその仲介に過ぎないという考えからだ。

ところが、続くルイ十五世は一七三九年の復活祭から、告解も聖体拝領も瘰癧患者への按手もやめてしまう。その政治的ダメージは大きかったため、後を継いだルイ十六世は王

アントワーヌ＝ジャン・グロ『ヤッファのペスト患者たちを見舞うナポレオン』

位に就いた翌年の一七七五年から儀式を再開した。

さらにフランス革命によって「王」と「神」は共に葬り去られたが、ナポレオンが中東でペスト患者に按手をする絵がルーブル美術館に残っているように、フランスの指導者が体現すべき「聖性」の観念そのものは受け継がれていった。

フランス革命とナポレオンの時代を経て、王政復古期に登場したシャルル十世は、戴冠式の後で、フランス王として最後の按手を執り行い、一二一名の瘰癧患者に触れて、五人の子供が治癒を得たと報告された。

とはいえ、神頼みの治癒だけが信じられていたわけではない。瘰癧が感染症であることは既にルイ十三世の頃から知られるようになっていた。ランスには子供の瘰癧患者を収容する病院ができて、一六八三年にルイ十四世から「聖マルクー病院」と名付けられ、医学的な結核対策が初めて公に行われた。頸部にリンパ節が現れる瘰癧が肺結核と関係があることを一七三三年に最初に唱えたのは、フランスの解剖学者ドゥソーだったが、それが確定されるのは、一九世紀ドイツのコッホによる結核菌の発見を待たなければならなかった。

✝ルイ十四世の医療改革

絶対王政時代のフランスにおける、神に授けられた王の聖性と治癒の力は、公衆衛生と健康政策の考え方に大きな転換をもたらした。ルイ十四世の側近として財務総監を務めたコルベールは、財政の再建を目指して金融業者を取り締まり、監査が困難な間接税を整理して徴税請負制を確立した。

各地の民衆のもとに中央から直接派遣される徴税官からの報告によって、中央政府は地方における民衆の様々な疾病の状況に初めて具体的な関心を持つようになった。それまでのように市町村単位ではなく、税務官を通して綿密な調査がなされたことで、知事が中央と直接結びつくようになり、市町村ごとの公益ではなく国全体の公益という考えが生まれた。「啓蒙の世紀」と呼ばれる一八世紀を通して疫病に対する政策が確立したのである。

一七一〇年、ルイ十四世は、地方の住民が適切な医療を受けられずに病で死んでしまうという実態に衝撃を受け、地方知事（執務官）に対して毎年一定量の「エルヴェティウスの治療薬」を配給することを決め、それが知事を通して外科医、看護修道女、医療関係者に行きわたるよう命令した。

一七一五年の王の死後、内閣がそれを一七二一年と翌年にあらためて条例化した。当時の「外科医」とは、中世から外科医療を受け持っていた床屋が専門化したものであり、理論に特化した「大学医」からは差別されていたが、政府は現地に住んで臨床に携わる外科医を尊重し、一七三一年に外科アカデミーを設立した（これが医学アカデミーと最終的に統合されるのはナポレオン時代の一八〇三年を待たなければならなかった）。

一七世紀から一八世紀にかけて、近代科学は錬金術から脱皮したが、医学の中枢部は中世から変わらぬ体制のままで利権団体と化していた。そんな状況で各地の外科医を実働隊として組み入れたのは中央政府の英断だった。

†エルヴェティウスの治療薬

そうして各地に配られた「エルヴェティウスの治療薬」は「王の薬箱」と呼ばれた。

アドリアン・エルヴェティウスは、オランダからパリに来た医師で、ルイ十四世の王子を治療したことで絶大な信用を得た。エルヴェティウスが考案したのは、大箱にあらゆる病気を想定した三五〇回分の薬を詰めたもので、そこには詳しい使用法が添えられた。

まず、すべての病に対して、当時は血を清める効果があると信じられていた「瀉血」を、外科医の手によって二、三度行わねばならない。その後で吐瀉剤の粉末を処方する。そのほか、解熱剤、各種の水腫には駆水剤（下剤）、下血、赤痢にはイペカ吐剤、胆汁性腹痛と腎臓病にはサンゴの粉末、肋膜炎には発汗剤が支給された。そのほかに三種の薬瓶が入っていた。

その一つは卒中、ペスト熱、昏睡症状に対応する「王水」と呼ばれる金を溶解した薬瓶だ。金の水の製法は錬金術師から受け継がれてきたもので、硝酸一に対して二から四倍の塩酸で濃縮したものに金を溶かしたものだった。

天然痘と麻疹の治療のためには、阿片性の解毒剤であるテリアカの精製水が入った瓶があり、嘔吐に対してはハーブ・リキュールであるアブサントを精製した薬瓶が入っていた。

これらによって、よくある病気の全てがカバーされる。それぞれに使用説明書が貼られ、患者の年齢、体力、気質別の詳しい処方箋も添えられた。「王の薬箱」は乾いて涼しいところに保管すれば傷まないとされた。

識字率が低かったため、配布者が説明書をちゃんと読むようにとの指示もある。この「王の薬箱」の構成については、エルヴェティウスが毎年チェックしていたらしく、一七二七年の彼の死後、息子が後を継ぎ、その後も一七五六年、一七六二年と、担当者が代わって受け継がれた。

すなわち、瘰癧患者への「王の按手」が中止されたルイ十五世の時代にも、「王の薬箱」の配布は継続されていたというわけである。それどころか、ルイ十五世が按手をやめた頃から、薬箱の配布の方法がさらに行き届いたものとなった。

現在の県に当たるすべての行政区知事は、最小の行政単位であるカトリック教会の小教区（冠婚葬祭の全てを記録している役所として機能していた）で疫病が流行った時には、すぐに税務官に届けを出すよう義務付けられた。その際、現地の状況に合わせて「王の薬箱」だけでなく食料や金の配給も行われ、必要であれば減税措置もなされた。一七五〇年頃にはすべての行政区に、中央から疫病専門の医師が一人ずつ派遣され、それぞれの知事の権威のもとで、疫病対策を具体的に実行するようになった。

†王立医学会の誕生

疫病対策のシステムは、ルイ十六世の施政となった一七七〇年にはほぼ全国に行き渡っていた。ある教区で死者数が突然増えた時に、疫病の初期症状が疑われた場合には、教区の司祭がすみやかに所轄役人に報告し、役人が直ちに隣接する教区に警告を発した。知事は担当医師に連絡し、医師が疫病を確認すれば薬を処方し、教区ごとに任命されている「外科医」が実際の診療に当たった。

それらすべての経費は知事が支払った。富裕者は自ら医師を呼ぶことができたので、自分では医師を呼べない貧しい階層の人が対象だったが、農村地帯ではほぼすべての住民が無償で治療を受けた。それでも一七七六年、いくつかの地方で疫病が多くの犠牲者を出している悲惨な様子を見聞きしたルイ十六世は驚いて、財務総監テュルゴーと宮内大臣マルゼルブに諮問した。

テュルゴーは神学教育を受け、パリ大学のソルボンヌ僧院長も務めたが、父の死後に還俗してリモージュの知事となり、『富の形成と分配に関する諸考察』を著した現場の経済学者でもあった。マルゼルブはパリ高等法院の評定官を経て租税法院長になったという経歴を持ち、二人とも啓蒙の世紀の文化人であった。

この二人の進言により、有名な解剖学者であるヴィク・ダジルが調査を開始した結果、各地の現場の医師同士の連携が十分でないことが判明した。王の主治医であるラソーヌは、王国内の医師の連絡網形成を担当する委員会の設立を王に提言し、ルイ十六世自ら八人の委員からなる王立医学連絡会を発足させた。実は、一七三〇年代にも既に同じ連絡会の必要性がルイ十五世に提言されていたが、硬化したパリ大学医学部の反対にあって頓挫していたのだった。

各地の税務調査官から封書で届けられる疫病の実態について、八人から一四人の委員会が週一度の会合で検討することになった。パリ大学はこの時もただちに妨害を始めた。それを避けるために、翌年、委員会の本部がルーブル宮殿内に置かれることが決まり、ヴィク・ダジルが理事、ラソーヌが会長を務める王立医学会が成立することになった。

常勤する三〇人が、非常勤でパリに住む一二人の医師、フランスに永住する六〇人の外国人医師らと定期的に連携し、各地方の外科医も必要に応じて呼ばれることになった。パリ大学は地方大学の医学部を煽動して妨害を続けたが、古い医学部の体質から脱したいと考えた多くの医師が、この改革に賛成した。王立医学会は毎年の年次報告書を発行し、中央政府による疫病対策は、神の代理人として病を癒す王の政治的意欲を反映するものとなった。

†ルイ王朝と赤痢

一七七九年、赤痢の大流行が起こり、王立医学会は翌年の年次報告書で「ペスト以外で前代未聞の犠牲者を出した」と報告した。絶対王権確立以後のフランスが経験した疫病としては、一七二〇年のペストや、後述する一八三二年のコレラの間に位置するもので、一七二〇年のペストよりも死者数は少ないものの感染者の数は上回るとされた。

赤痢の特徴は、国内にクラスターがなく散在したことで、無症状の者が国内を移動することで感染が広がった。ルイ十六世はアメリカの独立戦争に参加してイギリスと闘ったため、多くの兵士や傭兵がフランス中からブルターニュやノルマンディの港（サン・マロ、ブレスト、ル・アーヴルなど）に向かい、港町に感染が広がった。

感染の報告は七月に始まり、教区の司祭から副官（市長に当たる）を通して知事へ報告され、医師が各教区へと派遣された。九月末には、英仏海峡の悪天候により、スペインからの援軍が遅れ、さらに赤痢も蔓延したことで、イギリスに向けた上陸作戦は放棄される。

兵士たちは西部のメーヌやポワトゥから来た者が多く、パリやリヨン、ブルゴーニュでは感染者が少なかった。犠牲者が多い地方ではその時期の死者数が出生者数を上回ることになった。症状は冷や汗と発熱、嘔吐、下痢などで、発症してから数日で死ぬ者、回復しても再感染して死ぬ者も少なくなかった。赤痢は既に知られている病気だったが、この年のものは強毒性で感染力が強かった。

赤痢の蔓延は、この時期の防疫政策の限界を物語っている。フランス西部での犠牲者が多かったことを見て、医師たちは、「疫病（女性名詞）は貧困の娘である」と形容した。

しかし貧困といっても、一七七九年は穀物が豊作で、パンの値段は下がっていた。つまり飢饉ではなく、西部地方のインフラの欠如、識字率が低く衛生環境が悪く栄養が偏っているという構造的貧困が疫病を蔓延させたという見解だったのだ。

早期に対応していたら効果があったかもしれない「王の薬箱」にあったイペカも瀉血も吐瀉も効を奏さなかった。そもそも民衆は医師による公的な処方を待つことなく、習慣通りにワイン、リキュール、気付け薬、アストリンゼントなどを浴びるように飲んだ。ゆで卵を大量に食する人もいて、民間治療師による「魔法の薬」を飲む人もいた。

ペスト流行時の記憶をたどって、聖ロック（ロコス）、聖セバスティアンへの祈り、各種のノベナ（九日間の祈禱）が繰り広げられた。死者は床に並べられ、その家族たちも差別を受けた。遺体は、医師が金を出しても誰も埋葬しようとしなかった。そんな中で、医師たちができることは、感染者を隔離し、非感染者には肉やブイヨンなどを与えて抵抗力をつけさせることくらいだった。

†医療政策の限界

当時、ブルターニュの港町サン・マロに派遣された医師が、レンヌにいる知事に出した報告書には、六〇〇人の感染者が出て、三人の外科医が感染して殉職、一人が重症と記されている。医師たちは、「未開人に対する宣教者」のような使命感を持って事に臨み、病気を理解するために死者の解剖も行われた。

報告書による総括では、患者を救えなかった理由として、第一に、医師を呼ぶのが遅すぎて手遅れだったこと、第二に、病人が医師の処方を拒んだためという理由が挙げられている。

実際は、人々が民間療法に頼っていたという実態はあるにせよ、中央の医師が地方の実態を把握していなかったという面もある。都会に住む病人は普段の栄養状態がいいので、瀉血、吐瀉、断食なども有効だったが、もともと栄養状態が悪く、さらに病によって疲弊した農民たちが、瀉血、吐瀉などの療法を拒否することはむしろ理に適っていた。都市部では医師の到着も早く、衛生状態も農村部よりよかったから犠牲者は少なかった。

犠牲者の中で最も多かったのは一歳以上の子供と少年で、通常の年の秋には一歳から一五歳の死亡数が全体の四分の一だったが、一七七九年の同時期にはさらに増え、死亡者の半数を占めるまでになった。六カ月にわたり、超過死亡者数はフランス全土で一七万五〇〇〇人となり、うち九万人がラ・ロッシェル、ポワティエ、レンヌ、トゥールの四都市に集中していた。なかでもレンヌを含むブルターニュにはその半分が集中しており、中央から派遣された医師たちは、その惨状に驚くばかりだった。

キリストのように民衆の中に入り、疫病から人々を救おうとした「神に選ばれた」フランス王たちは、それぞれの時代の医学の限界と、都市と地方の格差に阻まれて、目的を達することができなかった。

やがて、イギリスとの戦争によって生じた赤字、北方火山の影響による飢饉、既得権益を守ろうとする特権階級による王の社会政策の妨害などにより、パリの民衆が蜂起し、フランス革命が勃発する。王による按手も、王立医学会も、王の薬箱も、結局は王を救うことができなかった。

ルイ十六世は、断頭台に上る時に縛られるのを拒絶し、さらに付き添っていた告解僧から「この犠牲を受け入れなさい。この最後の侮辱こそ、陛下とキリストとの究極の類似点です」とささやかれて、「では好きなようにするがいい。イエスのようにこの（受難の）杯をなめ尽くすまでだ」と答えたという。民衆は断頭台に流れたこのルイ十六世の血を額に受けようと殺到した。このように、キリスト教における病と聖性のパラドクスは、革命の嵐の中でも生き続けていたのだ。

民衆の祈願を神に取り継ぐ「聖なる役割」を神から授かった者として、自ら病者の患部に手を当てることを厭わなかった歴代の王、医療を受けないまま地方で死んでいく民衆を見て、全国的な医療体制と衛生管理を整えようとした王たちの努力は、未発展の医学と硬化した身分制度に阻まれて実を結ばないまま、フランス革命が中央集権制度を破壊してしまった。

それでもフランスはナポレオンの「帝国」や王政復古を経て、中央集権の回復を目指した。革命によって壊滅に近い状況に陥ったフランスのカトリック教会は、国王による行政の協力者でもあり、自らも行政の最小単位として公衆衛生を担っていた。さらに、社会活動系修道会を通して養護施設、介護施設、看護師、病院、教育施設のすべてをもカバーした。そのため共和国政府は革命直後から、公衆衛生のインフラ回復のために、自らが解散させたはずの修道会に再び援助を求めずにはいられなかった。

王政復古から七月革命、二月革命を経て第二共和制の後で、ナポレオン三世による第二帝政時代が始まり、さらに一八七〇年の普仏戦争の敗北で瓦解して突入した第三共和制は、フランス革命の理念を公式のアイデンティティとして据え直した。

つまり、カトリック教会を牽制するだけではなく、「宗教の蒙昧」全般を否定するイデオロギーを採用することにしたのだ。同時に、フランスの経済力増強と国力誇示のため、

「神の国」ならぬ帝国主義的政策が進められることになる。そんな一九世紀末のヨーロッパに蔓延することになった疫病コレラは、政治と宗教と外交と疫病の新たな関係を可視化するものになった。

†政治とコレラ

一八三二年のフランスで流行したコレラ禍をめぐる状況は注目に値する。前世紀の赤痢が地方の農村部を襲ったのとは異なり、工業化、都市化の進む首都パリを中心とした大規模な流行であり、絶対王政の頃の疫病観とはまったく異なる現象が現れた。

一八三〇年七月、パリで王政復古の最後の王シャルル十世を倒そうと市街戦が起きた。その「栄光の三日間」と呼ばれる戦いの翌日に、シャルル十世は退位して後に亡命する。今でも共和国のシンボルとして、フランス中の市役所に胸像が設置されて切手にもなっている「マリアンヌ」はこの市街戦のシンボルだった。

八月にルイ・フィリップが、「フランス王」ではなく「フランス人の王」として即位し、その一八年後の二月に再び起こるパリ市街戦で、フランスは第二共和制に至るまで続く政治的、社会的な動乱期へと突入した。そんな過渡期の混乱の中で一八三二年に発生したコレラは、「王党派」「シャルル十世」と組み合わされた「悪」として嘲笑されることになった。

当時はまだコレラが感染症であるとは知られておらず、一八三二年と一八五四年には、貴族や大司教が、コレラが感染性のものではないことを証明するために、わざわざ病院を訪問した。政府は、フランスの医学のレベルと衛生条件によって、蔓延を食い止められると考えていた。しかし実際は、病への知見も治療の水準も前世紀とほぼ変わっていない。それればかりか、神の代理者として民衆を救おうとして様々なネットワークを創り上げた絶対王朝の時代よりも、さらに混乱した状況が生まれた。

当時のコレラは悪や恐怖の対象だったわけではなく、主に医療政策をめぐる風刺の中で扱われた。当時のフランスはジャーナリズムの勃興期で、カリカチュアを許容する自由主義文化が根付き、挿絵入りの風刺新聞が版画で王や政治家を風刺して一世を風靡した。識字率の高くなかった当時、コレラをめぐる実態を広く人に知らせたドーミエによる風刺画はいろいろなことを教えてくれる。

コレラには当時三種類の標準治療があった。まずは相変わらず万病に効くとされていた「瀉血」で、蛭(ひる)に血を吸わせる方法が一般的だった。次に効くのが薬効酒で、四リットルの菩提樹(ぼだいじゅ)ハーブティにレモン四つ、五〇〇グラムの砂糖、そして一リットルのアルコールを混ぜたものだった。三つ目がこの二つを組み合わせた治療だ。

ドーミエはこのほかにも様々な治療法を紹介している。サルペトリエール病院では、パリセ博士によって患者を「電気ブラシ」でマッサージする方法が開発され、三〇分で症状が治まると言われたが、利用者も効果も限定的だった。

オテル・デュー病院ではミントとアルコールを混ぜた飲み薬が処方された。「発汗療法」は、横になって首から下を籠状の箱に入れて足から蒸気を吹き込むもので、ほかに、塩水療法や、水を漏斗（ろうと）から患者の口に流し込むというのもあった。この水が汚染されていなければ、吐瀉と下痢で水分とミネラルを失うことが死因になるコレラの治療としては、最も有効だったと言われる。現在のコレラの治療でも必要となる生理食塩水の点滴の先駆形態だったともいえるだろう。

コレラを防ぐとされる銅製の台所製品も流行った。富裕な市民が召使と共に自己隔離をして優雅に暮らしている様子もドーミエは描いている。感染者を出した家の壁には、ペストの時と同じく白十字架が描かれた。この時のフランスのコレラは、ヨーロッパの感染源であったポーランドから戻った医師や、英仏海峡での密輸に携わった者の周辺から広がったとされる。ポーランドでは、ユダヤ人が井戸を汚染してコレラの原因を作ったという風聞が流布されて、ユダヤ人の集団虐殺が行われたという。風刺画家たちは、ロシア正教の「野蛮な」軍隊をその虐殺の下手人（げしゅにん）として描いた。

†生き続ける「神頼み」

様々な「療法」とは別に、ペストの守護聖人である聖セバスティアンや聖ロックも、一七七九年の赤痢流行時と同じように召喚され、神への取り次ぎを祈られた。この二人の聖人を従えた聖母マリアの像が、ペストとコレラの二つを斥ける絵図として出回った。

苛烈な疫病が首都に出現して、それ以外の地域にも広がると恐れられた時、その終息を願って少なからぬ聖職者が公開で祈りを捧げることにした。政府はこれを歓迎し、その二年前の七月革命で教会が一時閉鎖された経緯があったにもかかわらず、当時宗教担当大臣だったカミーユ・ド・モンタリヴェは、祈願は「王の意図を汲み、国民の願いでもある」とフランスの司教、大司教宛に書簡を送った。

こうして祈りのための集まりが公に称揚されたのだから、葬儀も平時と同じ条件で行われてしかるべきだった。しかし実際は、コレラによる中流以下の犠牲者の数が多すぎて、死者が教会を通さずに直接墓地へ送られることになったと、「宗教の友」という当時のカトリック誌が書いている。葬儀が行われた場合でも、やはり数が多過ぎて対応できないので、共同葬儀となり参列者が密集した。多くの医師がその危険性を警告して糾弾したが、全員一致の意見には至らなかったという。

一七世紀に何度もペストの流行に見舞われ、リヨンは大きな被害を受けた。一六四二年に民衆の主導でフルヴィエールの丘に向けた聖母への祈願行列が行われて以来、毎年九月八日の聖母の誕生日に行列をする習慣が続いたが、一八三五年は特別にコレラ退散の祈願が行われた。

その後、フルヴィエールの丘には聖母のバジリカ聖堂が築かれて、今も崇敬を集めている。コレラの流行を免れたニースでは、祈願が聞き入れられたことへの感謝のしるしに、一八三二年に市議会が新しい教会建設を決議して、記念の碑文を刻んだ。聖母や聖人のほかに、聖ヴェロニカの布に写されたイエスの顔（十字架を背負ってゴルゴダの丘に向かう時、倒れたイエスの汗をぬぐった布に奇跡的に現れたというもの）の画も家々の扉に貼られた。革命が起きようと、政治的激動の時代であろうと、疫病の脅威の前では、神や聖人が動員され続けていたのである。

†奇跡のメダル

この頃に画期的な「お守り」が出現した。一八三〇年のパリで、一人の見習い修道女の前に姿を見せたとされる聖母マリアの指示によって作られた「奇跡のメダル」だ。七月革命の三カ月前、一八三〇年四月に、パリのバック通りにある愛徳姉妹会の修練院に、カトリーヌ・ラブレーという娘が見習い修道女として入会した。

前述のように、愛徳姉妹会とは、貧しい人々や病者のいる家庭などを訪問してまわる社会活動型の修道会で、独自の療養施設も持っていた。一七世紀、創設者ヴァンサン・ド・ポールは貴族の未亡人ルイーズ・ド・マリニャックと共に、女性による都市型の組織的奉仕活動を可能にした。

ルイ十三世の告解僧でもあり、王室と近いところにいたヴァンサン・ド・ポールの遺体は、フランス革命の間は暴かれることを恐れて隠されていたが、カトリーヌ・ラブレーが修練院に入った四日後にパリの宣教司祭会へと華々しく移送された。

彼の心臓は聖遺物としてバック通りのチャペルに納まることになる。七月革命の九日前にカトリーヌは、「天使」に起こされてチャペルに赴き、聖母から使命を授けると告げられた。さらに、革命後の混乱が続く一一月には聖母がもう一度現れ、楕円形メダルのデザインを彼女に示し、そのメダルを信頼の心を持って身に着ける人への恵みを約束した。

修練期を終え、高齢者施設で働くことになったカトリーヌは、メダルを作るようにという聖母のお告げを指導司祭に何度も伝えたが、最初は信じてもらえず、大司教からメダル作りの許可が出たのはコレラが猛威をふるった一八三二年になってからだった。特定の聖人にではなく、またロザリオの祈りのように延々と続く長いものでもなく、聖母マリアへ

聖カトリーヌ・ラブレーによって作られた「不思議のメダイ」

の短い祈りの言葉（「無原罪の聖マリア、あなたにより頼む私たちのためにお祈りください」）が刻まれたシンプルなメダルは、あらゆるところに配られた。

一八三二年、パリ大司教は聖ヴァンサン・ド・ポールの名のもとに、コレラ禍による孤児一〇〇〇人以上を収容できる施設を作った。メダルを身につけて祈ることで、コレラから回復し、感染が避けられたという例が数多く報告されたこともあり、教会離れが進んでいた社会で回心体験が相次いだ。メダルはいつしか「奇跡のメダル（不思議のメダイ）」と呼ばれるようになっていた。

三年後の一八三五年には、一五〇万枚ものメダルが作られてヨーロッパ中に広まり、二一世紀の今も、世界中で最も普及している聖母のメダルとなっている。生前には「聖母御出現」のことを口にしなかったカトリーヌ・ラブレーだが、死後には列聖され、聖母の現れたバック通りの「奇跡のメダルのチャペル」には今も世界中から巡礼者が訪れる。二〇二〇年のコロナ禍の渦中にあっても、多くの人々が「奇跡のメダル」の聖母により頼んだことは不思議ではなかった。

政治の動乱期で、公衆衛生がまだ無力だったこのコレラの流行期に、神と信仰がどのように人の免疫力を高め、奇跡をもたらしたのかはわからない。一つ確かなのは、人々がコレラを恐れて死者の出た家から遠ざかり、残された家族を見捨てた時期に、彼らを看護し、埋葬し、その孤児を引き取った司祭や修道士や修道女たちが存在したということだ。そして、そのイメージはその後も様々な作品に描かれ続けた。

†一九世紀末以降のコレラ

一八四〇年代の終わりには、コレラ菌が顕微鏡で特定できるようになった。しかし、アレキサンドリア、インド、トゥーロンで採取したコレラ菌の培養に成功するには一八八四年のコッホを待たなければならなかった。

先述したコレラをめぐる風刺画も進化した。最初はペストと同じく死神風の骸骨として描かれたものが、やがて青黒いアジア人の顔となり、「細菌」の概念が共有されてからは、虫や醜い動物、小人などの姿で表現されるようになった。

同時に、「ばい菌」とは国外からやってくる侵入者であるという意識が生まれた。

例えば、スペインから来たとされるコレラ菌は、国境を越える闘牛士のように描かれた。

また、ある国の軍隊が、まるで生物兵器のようなコレラと共に、他国を侵略するというイ

スペインから来たとされるコレラ菌の風刺画

メージも定着した。コレラ被害が少なかったドイツに進攻しようとしたロシア軍の姿は、「コレラ」を擬人化したものとして描かれ、一八九五年の仏露二国同盟も、一九〇五年七月の英仏露の三国協商成立も、「コレラを共有した国」と描かれた。

一八五〇年代には、コレラそのものよりも、国境を広げてアジアからコレラを招き入れた責任者として、政治家たちが揶揄と嘲笑の的となった。普仏戦争後の第三共和制の時代には、擬人化されたコレラが、民衆の「反軍隊、反教会、反議会」という抵抗運動を担う闘士の姿として登場することさえあった。

逆に、コレラの症状を呈する政治家の姿も、風刺画として新聞紙面に現れた。一八八三年の新聞には、第三共和国のシンボルであるマリアンヌが「コレラ消毒」と称してパリの通りを高圧水で掃除している図が掲載され、そのなかでは親独派政治家がコレラ菌と共に除去されている。これは、ヨーロッパ大陸内での戦争と、植民地をめぐる戦争が、コレラと連動し、コレラ菌を塩化物で消毒するという対策が常識化していたことを物語っている。イタリアはフランスとの国境にあった古いチャペルを利用して入国者を消毒し、トゥーロンとマルセイユから着いた人々は、パリのリヨン駅で消毒された。

また、一八八七年にはニューヨークでコレラ菌感染者の追跡が始まった。

†グローバル化する疫病

一九世紀末には、イギリス軍によるインドやアラブ沿岸の首長国、フランス軍によるアルジェリア、クリミア半島、南ベトナムの植民地化によって、疫病のグローバル化がさらに進んだ。植民地拡大とコレラの感染は明らかに連動していたのだ。フランスでは、政府による植民地の拡大をすべての人々が歓迎していたわけではなかったので、コレラ禍に対する政治責任を問う世論は、清仏戦争によって決定的になった。

フランスは南ベトナムから紅河沿いに、清帝国との通商路を開拓しようとしていた。その過程で、北ベトナムのトンキンで、宗主国であった清朝と対立したものの、初期には外交的な解決も模索されていた。ところが時のジュール・フェリー政権が積極的な植民地拡大政策をとったために、一八八三年、ベトナムにおいて清国との軍事衝突が起こった。ジュール・フェリーは一八八五年に政権から降りることになるが、その後に締結された講和条約である天津(てんしん)条約は彼の業績とされている。

この頃には「病原菌はいつも外国産であり、遠くからやってくる」という認識が既に共有されていたから、天津条約も感染リスクの拡大そのものだと批判された。一八八四年には、フランスで最後のコレラ大流行が、南仏の港湾都市トゥーロンで始まった。コレラは、海路を経由してサイゴンから軍港にもたらされた。当時一万二〇〇〇人の兵士を含む七万人の人口を抱えていたトゥーロンは大規模な被害に見舞われた。そのため、「植民地外交の成果であったはずの天津条約は、コレラを輸入するためのものだった」とジュール・フェリーは激しく攻撃されることになる。

一八八四年の風刺新聞の第一面には、マリアンヌがジュール・フェリーの耳を引っ張って、「フランスは彼のせいでコレラの侵入を許した」と攻撃している絵が掲載されている。共和国のシンボルであるマリアンヌは、聖母マリアとその母である聖アンヌを組み合わせた名で、そのマリアンヌが十字架を背負ってゴルゴダの丘に向かっているという画も、ジュール・フェリーがもたらした害悪の一つとして加えられた。疫病の前では、神なき共和国の政治批判も十字架を想起することを厭わなかったわけである。

国境を接した国々が移民や混血、王族同士の姻戚関係づくりを繰り返しながら、領土や宗教をめぐる争いを繰り返してきたヨーロッパの歴史は、共通の神と疫病をめぐって政治と経済と一部特権階級への利益誘導を調整しながらせめぎ合ってきた歴史でもあった。

一七世紀のフランスは、都市部と農村部の医療格差を埋めるために、中央への収束性があるネットワークを築こうとしたが成し遂げられなかった。その課題は、国連の世界保健機関が、二〇二〇年のコロナ禍でどのように機能してきたかを見るまでもなく、二一世紀の現在もまだ地球規模でそのまま残っている。

一八世紀末から一九世紀にかけてのヨーロッパで、戦争がコレラと足並みをそろえたように、二〇世紀のスーダンとエチオピア間の戦争や、エチオピアの市民戦争においても、コレラの災禍は深刻だった。

ワクチンや医薬の開発によって根絶された疫病ももちろんあるが、未知の細菌やウイルスは無限にあり、人間による自然の乱開発や航空機の発展とともに、疫病のリスクと災禍の形そのものが変異していく。私たちは過去から何をどう学ぶことができるのだろうか。

†スペイン風邪と新型コロナ

一九一八年に猛威をふるったスペイン風邪では、そのウイルスの正体はまだ不明であったが、医学者からはその感染経緯について異論がなく、フランスでは各自治体の首長がそれぞれの対策を行った。

一九一八年一〇月一五日、医学アカデミーは、状況が悪化するなら知事（選挙でなく国が任命する）が地元での縁日、祭り、会議や芝居、音楽会などを禁止しなくてはならないと進言したが、教会や宗教行為については言及しなかった。それでも多くの死者が出て葬儀にまつわる手続きが教会の限界を超えると、リヨンやトゥールーズの市長らは、市中での葬列を禁止して、死亡から埋葬までの法定期限を撤廃した。それに対して、当時のカトリックメディアは、「霊的救済が衛生対策よりも軽んじられ遺憾だ」と表明し、複数の大司教が信徒たちに対し、公式の祈りを捧げるために集まるように呼び掛けた。

二〇二〇年に、カトリック文化圏であるヨーロッパが深刻なコロナ禍に襲われた際、宗教的典礼や葬儀の場が感染源となることで、多くの制限が課せられた。「政治が葬儀に介入することは自由の侵害だ」と声を上げる人は当然出てきたが、それはもはや宗教というよりも社会的な議論だというコンセンサスが共有されたからだ。

さらに、コロナ禍のロックダウンにおいて教会が閉鎖されたのは神罰のためではなく、歴史的な警告であり、災害は神ではなく人から来るという常識が根づいた。それでも疫病退散を願う人の心は変わらず、テクノロジーが神への新しいアプローチの仕方を提供するというパラダイムの変換があり、インターネットを中心に様々な新しい祈りが広がることになった。

疫病を前にした時に、人々の安心を図るために政治と宗教の両輪を回さなければならないことは、今も変わらない課題だ。けれども、世俗化した多くの社会では、もはや神は公の場所には登場しない。それに代わったのが医学とその専門家集団であり、人々の安心は政治と医学の言説の中で揺れ動く。

終章では、西洋近代医学がどのように宗教的言説を無化し、変容させてきたのかを見ながら、疫病を前にしていつの時代も迷い、恐れ、萎縮する人々を本当の意味で癒し、救うものは何なのかをあらためて考える。

終　章

医学か宗教か

ルイ・パスツール（19世紀）

†永遠の命

二〇世紀以来、人間の心身の健康保持と増進のための西洋医学の研究が、それまで延々と続いてきた「魂の救い」の神学にとって代わるようになった。「魂の救い」の神学が、永遠の生を確証できるまでに洗練をきわめていたように、病を治す医術も、医学的に不可能である不死への欲望を別の形で追求することをやめなかった。医学の進歩を信じ、遺体を冷凍保存し、頭部を切り取って脳を冷凍する、あるいは低温で低代謝状態を作り出して休眠させ、重症患者の搬送や惑星間飛行に貢献する、などの実験や研究が実際に行われている。ある種の人々にとっては、「不死」はビジネスの対象なのだ。あるいはその不死への欲望が、クローン作製や遺伝子操作という形に向かうこともある。

キリスト教において「永遠に生きる」ことは「死なない」ことと同義ではない。イエス・キリスト自身が、この世で一度殺されて埋葬されたのに復活したことで、人間が原罪によって陥った「永遠の死」を免れることができた。またそれは魂が「神との新しい関係に入って、永遠に生きる」ということでもあった。

近代以前の西洋社会では、死そのものが日常的に存在したため、人々が恐れたのは「永遠の死」、すなわち永遠に地獄の業火(ごうか)に焼かれるというイメージだった。そして、その恐れから人々を解放し、神の下での永遠の命を約束してくれたのがキリスト教だ。けれども、ここまで見てきたように、死後の苦しみよりももっと悲惨な疫病の体験を通して、キリスト教を信じる人々も、少しずつ死そのものを恐れるようになっていった。

そのような感性の変化に対応したのが、疫病を感染させる細菌やウイルスの発見であり、死を排除するワクチンの開発による勝利宣言だった。乳幼児の死亡率は、生後まもなく接種される混合ワクチンによって劇的に下がった。それまでは、乳幼児が死んでも天国で永遠に生きることを可能にする方法は、生後すぐの洗礼だけだった。だからこそ中世には、赤ん坊が生後すぐに死んだ時に地獄に堕ちないように、まるで生きているかのように洗礼を授けてから埋葬をする風習があったのだ。

今や人々が夢みるのは、各種の病原体に作用するワクチンではなく、あらゆる病原体から人間を守る「ユニバーサル・ワクチン」である。権力者が投資を続けた不老不死の薬、「賢者の石」が形を変えて求められ、今も投資の対象になっている。昔は、国家はその権力の正統性を神授によって担保するために、「神の代理人」である教会と結びついていたが、今の国家は、民衆の最大の関心事である健康を管理するために医学界と結びついている。

過去の民衆は「魂」を人質に取られていたが、今の人間は「肉体」を人質に取られているようなものだ。どちらの場合も、死後の地獄や死そのものへの恐怖と、永遠の生への期待によって人々はマインド・コントロールされている。今も昔も必要なのは、数々の事象や想定外の出来事を前にした一人ひとりが、状況をしっかりと識別しようという意志と、自らどう生きるか選択しようという意思である。

†羊飼いとキリスト教

ワクチン接種が、洗礼のような通過儀礼と化した転機には、敬虔なカトリック信徒だったフランス人ルイ・パスツールの存在があった。

それまでのカトリック神学では、エデンの園を追われたアダムとイヴの犯した原罪が、人間に老いや死や病をもたらしたと考えられていた。その罪を贖うために神が人間の姿になる必要があり、そのために聖母マリアという一人の女性の懐胎(かいたい)が必要だった。そのマリア自身も、母の身に宿った時から原罪を免れていると早くから考えられていた。このことは「無原罪受胎のマリア」と表現される。聖母と、罪なくして十字架につけられた「子なる神」イエスによって、人はアダム以来の原罪から救われたはずだった。

けれども、原罪が洗礼によってどのようにリセットされても、アダムに与えられたのと同じ自由意志は残されており、したがって新たな罪は懲りずに犯され続けた。それに対応するために、告解や免償、免罪というシステムができて、さらに免罪されぬままに死んだ後でも最終的に地獄に堕ちることを避けるチャンスとして、「煉獄」という考え方まで生まれた。

永遠の生の約束は、その後で罪を犯すたびに反故(ほご)にされるが、司祭のもとに出向いて免償、免罪されると、また永遠の生が約束されるというリズムと意識が共有される。それは確立された標準治療によって、何度病気をしても回復可能になるという構図と似ている。

パスツールという姓は「牧者」、つまり「羊飼い」を意味する。プロテスタントの「牧師」も同じ言葉で、旧約聖書の「詩編」二三章に、ダビデ王の詩として、

　主は羊飼い、わたしには何も欠けることがない。主はわたしを青草の原に休ませ憩いの水のほとりに伴い魂を生き返らせてくださる。主は御名(みな)にふさわしくわたしを正しい道に導かれる。死の陰の谷を行くときもわたしは災いを恐れない。あなたがわたしと共にいてくださる。あなたの鞭、あなたの杖それがわたしを力づける。わたしを苦しめる者を前にしてもあなたはわたしに食卓を整えてくださる。わたしの頭に香油を注ぎわたしの杯を溢れさせてくださる。命のある限り恵みと慈しみはいつもわたしを追う。主の家にわたしは帰り生涯、そこにとどまるであろう。

とあるように、羊の群れ（ユダヤ人）が荒野をさまよう時は、羊飼い（神）が約束の地に必ず導いてくれるとされた。

新約聖書にも、「あなたがたはどう思うか。ある人が羊を百匹持っていて、その一匹が迷い出たとすれば、九十九匹を山に残しておいて、迷い出た一匹を捜しに行かないだろうか」（「マタイによる福音書」一八章一二節）という有名な「迷える羊」の喩えがあり、イエスを「よき羊飼い＝牧者」とする見方が定着した。

さらに、十字架上で刑死したイエスが復活した時に、一番弟子ペトロに対して三度も繰り返して、「わたしの小羊を飼いなさい」（「ヨハネによる福音書」二一章一五〜一七節）などと言ったことも、イエスの「弟子」である司祭たちが、自らを「牧者」と見なす伝統へとつながった。

†牧者パスツールの思想

ルイ・パスツールの名が「牧師（牧者）」を連想させ、彼が実際に敬虔なカトリックであったことは、彼にとってワクチンで世界を救う医学研究が、救済の思想と結びついていたことを暗示している。それは近代物理学の始祖たるニュートンから、量子力学の先駆者アインシュタイン、遺伝学ではメンデルからダーウィンに至るまで、自らの研究が、それぞれの宗教的、社会的、政治的理念から逸脱していないことと同じだ。

近代医学は、疫病の宗教的意味付けなどとは一見対極にあるように思えるかもしれない。また人間を機械の部品の総体とみなすことで、分断的治療に至ったと言われがちでもあるが、実はその出発点には物質主義よりも、スピリチュアルな精神主義があった。

パスツールは、原罪が人間に老いや病や死をもたらしているという考えを退けた。原罪はイエス・キリストの十字架の死によって既に償われている。そもそも神は自らの似姿(にすがた)として人間を、「無原罪」の形で創造したのだから、「悪＝病気」は人間の外からしか来ないはずだ。悪とは、エデンの園にいる蛇であり、人間を誘惑し続けるサタンによるものだ。そして「悪＝病気」が外からくるものならば、「善＝健康」も医学という外からの働きかけによってもたらすことができる、とパスツールは考えた。

一方、万物(ばんぶつ)は創造主が創り、「よし」としたものだが、堕天使であるサタンがその世界を任されたのだという考え方は昔からあった。キリスト教は、善神と悪神、光と闇のような二元論的世界観を退けたので、もとよりサタンも、自由意志によって動く下位の存在でしかない。原罪とサタンに縛られている人々を救うために、父なる神から送られたイエスは、地上での活動を始める前に、荒野で四〇日の断食をした。そこでサタンの誘惑を受けて、それを退けるのだが、その中に次のような箇所がある。

悪魔はイエスを高く引き上げ、一瞬のうちに世界のすべての国々を見せた。そして悪魔は言った。「この国々の一切の権力と繁栄とを与えよう。それはわたしに任されていて、これと思う人に与えることができるからだ。だから、もしわたしを拝むなら、みんなあなたのものになる。」(「ルカによる福音書」四章五〜七節)

地球上の国々の権力は悪魔の手にある。イエスがすべての人の罪を贖った後でも、悪魔は去ったわけではなく、人は悪魔と共に生きてきた。そのイエスの後を受けて、イエスの名のもとに、悪をそのつど予防し、抑圧し、無化しようとしてきたのが教会権威だった。

パスツールは目に見えない悪魔を、細菌やウイルスとしてようやく可視化した。悪は細菌やウイルスのように、至るところにうようよしている。その細菌やウイルスを予防し、抑圧し、無化するものこそ医学でなければならない。人はいつも子供のように弱く、エデンの園のアダムとイヴのように誘惑にさらされているが、原罪によって他の生物よりも弱くなっているわけではない。病気の多くは反自然的な生活から来ている。それが悪の侵入を許すのだ。

パスツールはキリスト教的救済の使命感に駆られ、悪を予防しようとした。当時の皇帝ナポレオン三世とメディアを味方につけて、近代医学に聖性を付与することに成功したのだ。「小悪をもって大悪を制する」ワクチンは、魂の浄化を確認するミサにおける聖体拝領に通じる。ミサで使われていたラテン語は、医学で使われる難解な専門語に通じる。そして、聖体はワクチンであり、黒い司祭服は医師の白衣となり、看護の修道女たちは「白衣の看護師」になり、教会に納める献金は、医学研究への寄付金となった。

実際、医学の神の「聖体」であるワクチンによって撲滅させられた、天然痘のような疫病もある。しかし司祭がどんなに悔い改めを説いても、悪の誘惑が根絶されることはないように、どんな薬を作ったところで、病をもたらす細菌やウイルスがこの世から消えることはない。

†悪の形相に欠けたコロナウイルス

細菌やウイルスは、それ自体は悪ではなく、「善」＝「健康」な生に組み込まれたものだということもわかっている。それらが「悪」＝「病」を招くためには、被造物としての人間と自然の大きな生の営みにおける様々な要因が関わっている。しかし、そのような「外部から来る悪」への対処には、様々な罠が待ちかまえている。その最たるものが、「悪に捕らわれた人」を「悪」と同一視してしまうことだ。

二〇二〇年、世界を襲ったパンデミックには、ペスト、コレラ、ハンセン病、天然痘などがそうだったような「悪＝死」の恐ろしい形相が欠けていた。にもかかわらず、神にとって代わった医学、司祭にとって代わった医師、教会にとって代わった病院という「新しい宗教」のバランスを深刻に揺るがすことになる。ＰＣＲ検査という遺伝子検査の技術が体内の悪の感知を可能にしたからだ。死んだ遺伝子のかけらでも感知されて、陽性者を「悪の感染源」と認定してしまう。

悪の誘惑はウイルスと同様に至るところにある。自然環境が破壊され、人間のところに到達したウイルスと同じように、グローバル化する社会のコミュニケーション革命によって、それまでは局地的だったあらゆる種類の差別や偏見、嘘、欺瞞、陰謀論、終末論、無責任な誹謗中傷、憎悪、洗脳などがあっという間に世界中に広がった。神ならぬすべての人は、そのような悪に常にさらされている。

時として致命的な結果をもたらす、そのような悪に対して、人々が安全のためにどのような距離をとるべきなのか、どのようにして防ぐことができるのか、どのような治療ができるのか、という有効な対策はまだ端緒にさえついていない。

移動や接触をすべて遮断する、「ロックダウン」による封じ込めの効果は一時的でしかない。また、それによって無菌状態を作ったところで、人々はそのなかに自分自身を封じ込めてしまうに過ぎない。「自粛」が「萎縮」へと向かい、あらたな「悪＝病気」の温床となることさえあることも明らかになってきた。

†ウイルスと魔女狩り

新型コロナウイルスは、そのような新時代の「未知の悪」として人々を襲い、近代医学の聖域を揺さぶった。その結果、悪が顕在化していないところにまで、人々は罪を見つけ出す。その罪を免償するはずのワクチンも治療薬もないとなれば、感染した人は途端に罪と一体化して排除される。つまり、「魔女狩り」と同じ心理構造が生まれるのだ。

顕在化していない悪の自己申告である「告解」とその免償というシステムの外側に、魔女狩りという密告によって炙り出される悪と罪が共同体を席巻することが、キリスト教の歴史にもしばしばあった。その多くは飢饉や災害、戦乱、疫病などで人々が危機に陥った時に、それをもたらした悪魔、またはその共犯者というスケープゴートを探すという営みの中で起こった。

新型コロナウイルスを、人間に内在する「罪」とみなし、感染者を炙り出して断罪する現象は、パスツールによって退けられたはずの「病＝原罪」観に立ち返るものだった。

西洋医学が、ロックダウンによる自由の制限を正当化するために打ち出した、「あなた自身が既に感染している前提でふるまいなさい」というアドバイスは、確かにウイルスの感染拡大を阻むためのものだ。しかし、それはまるで身に覚えがなくても原罪を負っているかのような罪悪感を生むことであり、パスツールの近代医学の路線からは明らかに外れている。

もとよりヒトゲノムは単独に進化したのではなく、ウイルスのような侵入者と共に進化したのだろうし、様々な細菌との共生が人間の生命活動に密接に関わっていることも、今では明らかになっている。その意味では、ウイルスも細菌もすべて含み持つのが被造物なのだから、害を及ぼす特定のウイルスだけが原罪を構成するというのはあり得ない。

パスツールは、「不浄=穢れ」の存在として共同体から隔離されることから病者を解放するキリスト教的治癒を目指した。病は悪霊のように外からやってくるものであり、医学によって制御できるものであり、患者には「罪」はない。病人とは、共同体から隔離されるべき不浄の体現者ではなく、病院という聖域で医師という「司祭」によって治療され祝福を受ける存在になったはずだった。

ところが、ワクチンや治療薬もない未知の疫病が、独裁政治体制の非キリスト教文化圏に発生した場合に、大規模集団の隔離という対策がとられた。そのなかで、他の病気や障害を抱えた人々がどのような運命をたどったのかは闇の中だ。感染者が謝罪を要求されたり、差別の対象になったりという現象も起こった。

感染者を隔離するための大規模病床の建造も喧伝されたが、感染者、発症者ではない他の高齢者など、相対的な弱者を守る積極的な対策については聞こえてこなかった。結果的に、新型コロナ感染症による犠牲者数は、後に感染が広がった欧米よりもずっと少なかったため、封鎖され取り残された新型コロナ感染症以外の病気、老い、障害を持った人たちから出たであろう犠牲の実態はわからないままだ。

それに対して、「中国発の疫病」が西洋キリスト教文化圏を襲った時、集団隔離による自由の制限という文化のない国々は、「あなた自身が感染している前提で謹慎して、弱者、高齢者への感染を防ぎなさい」という「弱者保護」のレトリックを繰り出した。

自由や平等という人権意識の強い国々の民衆が、突然に課せられた隔離を比較的すんなりと受け入れたのは偶然ではない。強者に従う世界において、弱者を守ることの絶対価値を説かれたことが、権力者によって殺されたイエスを救世主として出発したキリスト教文化圏の集団無意識に刷り込まれている防疫観に合致したからだ。

自国民を守るという名目で、世界中で行われた国境封鎖や水際作戦などは、主として政治的判断によるものだったが、それに対する自国民の間での制限と反応には、それぞれの文化圏に従来からある流儀や作法が反映された。日本で発せられた各種の自粛要請に「あなたは無症状でも感染者かもしれない、お年寄りや持病を持っている人にうつしてはいけない」という理由づけがあったのは、中国や韓国の対策とは違う欧米型キャンペーンに影響されたものだ。日本ではそれが同調圧力として増殖繁茂していった。「高齢の親との同居には要注意、田舎の祖父母に会いに行くなどは自粛するように」などと繰り返されるだけではなく、それに従わない「無責任な若者」たちは諫(いさ)めるべき対象となった。

†神の居場所

いかなる社会でも、共同体の社会進化論として、昔は「生産性のない」年寄り、病人、障害者などを養う余裕はなかった。淘汰が起こらないと共同体自体が滅んでしまうからだ。人類学的に見ると『楢山節考(ならやまぶしこう)』的な典礼化した淘汰の伝統は、あちこちに見られてきた。

そんな世界で病んでいる人を見舞い、飢えている人に食べさせ、渇いている人に飲ませ、宿のない人を迎え、弱者の一人ひとりがイエス・キリストであり、天国に迎えられるのだという革命的なことをイエスは言った。

その後、キリスト教はローマ帝国の国教となって政治権力の道具にもなったが、弱者に寄り添い、さらに自らも侮辱されて処刑されたイエス・キリストの姿が磔刑像によって可視化されている限り、疫病に襲われるたびに、病み苦しむ人々は自らを、看護する人は病人を、それぞれイエスの姿に重ねてきたのだ。

日本や中国の儒教文化にも年長者を敬う教えがあるが、儒教文化における長幼のヒエラルキーというのは、結果として年を重ねた支配階級に有利なものになっていった。「先生＝先に生まれた人」が権力を行使し、先輩が後輩をいじめ、弟子が老師匠に絶対服従を求められるなど、先達の既得権と結びついている場合も多い。

無産階級においては、老人支配はもとより成立しない。店、田畑、財産、特権を継ぐという場合に、先代が意味を持つ。家長を戴くヒエラルキーの中では、敬うべき高齢者は権力勾配の上に位置するわけであり、弱者、病者の中にイエスを見て仕える、というのとは向きが違う。

結果として、日本では、ヨーロッパの多くの国に比べて強制性のない「自粛要請」であったにもかかわらず、感染を罪と罰の文脈に追い込む空気の中で、長期の引きこもり生活が多くの人の健康を害することになった。健康とは、単に病気や障害がない状態ではなく、さらに社会的、精神的に良好な状態であることだ。家族や友人との交流を断たれ、病院や高齢者施設が面会謝絶となり、スポーツや文化活動が停止される状況で、そうした意味での「健康」は害されてしまう。さらに、それを回復しようという行動さえもが監視され、批判され、罪悪視される時、精神医学は無力となる。

では、疫病がそのような事態を招いた時、神や信仰はどのように語られるのだろう。人間も自然も超越する「創造神」を掲げる宗教においては、人は自由意志によってその創造の業に加わり、生活と信仰を調和させて生きていくことを期待されている。

実際の生活には三つのパターンがある。第一は、信仰が生きるエネルギーとなり、普遍的な人間性を拡大する生活。第二は、病気や事故や災害で生活が破綻した時にだけ、「なぜ、自分が？」「神はどこにいるのだ？」という形で神を想起する生活。第三は、仕事や活動に追われて信仰や神の場所がまったくない生活だ。

疫病対策や医療制度も同様で、費用対効果が優先されていくと、霊的な良好感という意味での健康は切り捨てられる。そうして神までもが、必要な時に「外注」できるものだと見なされてしまう。危機において突然「信心グッズ」が出回り、エビデンスもない代替療法が脚光を浴びる。病院で病床や医療従事者を減らしたり、薬や医療機器の生産をコストの低い国に頼ったりという合理化は、突然のパンデミックにおいてすべて機能しなくなる。

パスツールが目指した病院が、すべての人を癒す「教会」だったとすれば、そこにはいつも、聖性のためのスペースがあり、聖性の在庫があり、それらのメンテナンスもしなくてはならない。パンデミックに際して、予備マスク、予備病床などのストックが必要だとわかったように、いざという時に神や仏に出動してもらうには、その居場所を確保し、心の傾きを維持しておく必要がある。

神の恵み、癒しの業を代行するはずだった近代西洋医学が、需要と供給のぎりぎりの決断を迫られる時、医療の対価を払える個人の病には対応できても、グローバル化する疫病の前にはなすすべがない。自らの限界を常に超えていこうとする医学は、すべての治療や医療の出発点に「神」が必要とされていたことを思い出す必要があるのかもしれない。

†肉体と精神の関係

近代科学としての医学がまだ成立していなかった時代には、肉体は長い間軽視されてきた。肉体が病や死の前には無力であったからこそ、精神や魂を管理する宗教的権威が力を持つ時代が続いた。病の拡大を避けるために「不浄」を共同体の外に追いやり隔離するだけではなく、病の住処(すみか)となり魂を穢すもととなる肉体性や欲望そのものを抑圧してきたのだ。

ところが医学が発展して、多くの不治の病や傷が癒され、疫病の原因が突き止められ、予防が可能になってからは、逆に医学と衛生学、防疫の名の下に欲動を節制するという皮肉な事態が現れた。そして「病気や老いや死を予防して健康を保つべきだ」という言説が規範化した。

医学の発展と共に、宗教的規範の縛りが解けて肉体が解放され、新しい人間性の自由を若者たちが謳歌した一時期が終わると、往年の若者たちは年を重ねることに抵抗するようになった。安心や快適とは必ずしも適合しない「健康な肉体」原理主義が生まれ、人は「若々しく健康であるべきだとされる肉体」に閉じ込められることになる。様々な抗菌グッズや健康サプリメントが出回り、シミ、シワだけでなく、体臭、加齢臭など「生きている体」が病気と同じように封印されるべきものとなり、排泄物も病者も死者も日常から見えにくくなった。

そんな時代を突然襲った二〇二〇年のコロナ禍において、自宅隔離という自粛要請を正当化する言葉に「生命と経済とどちらが大切か」というものがあったが、そこで言う「命」とは、まさに「病のない体」「死なない体」のことだった。「よく生きる」指標を失った政治のもとで、精神の健康、安心、快適、自由、社会参加、ふれあいは、自粛し、萎縮し、経済も大きな打撃を受け、社会的弱者はさらに追いつめられることになった。

「神」を権威と権力の道具とした社会的宗教的権威が肉体を軽視した時代は終わり、「医学と健康」を掲げた新しい規範が別の形で、「老い、病、死を生きる体」を排除しようとしている。肉体と精神の複雑な関係をもう一度考え直し、新しい自由の形を求めるべき時代を私たちは迎えている。

おわりに——思考停止に陥らないために

†シャルル・ペギーと神の言葉

ジャンヌ・ダルクをテーマにした戯曲を生涯に二度——一度目は反教権主義、社会主義者の立場から、二度目は霊感に満ちたカトリックの立場から——書いたことで有名なシャルル・ペギー（一八七三～一九一四）は、第一次世界大戦に向かう社会の中で、キリスト教や社会主義の持つ普遍志向とナショナリズムの間で、「神」の問題に向き合い続けた。

ナポレオン三世による第二帝政が終わり、パリ・コミューンを経て第三共和制が誕生したすぐ後のフランスで生まれたペギーは、共和国イデオロギーの中で教育され、社会問題に関心を向けていった。虐げられる人々を解放するには抗議や反抗だけでは十分ではなく、革命を視野に入れてなくてはいけないと考える若きジャーナリストであったペギーは、社会党員になった。

明確に反キリスト教の立場だったペギーは、一九〇〇年に雑誌『半月手帖』を刊行し始めた。ところがまだ二七歳だったペギーは、その頃ひどいインフルエンザにかかり、死の恐怖を体験することになる。その年の二月から四月にかけて、三度、自らの雑誌に、「インフルエンザについて」「さらにインフルエンザについて」「常にインフルエンザについて」という記事を掲載した。三つのタイトルを合わせると、フランス革命で一七九二年にダントンが軍隊を煽った「大胆なれ、さらに大胆なれ、常に大胆なれ」という有名な言葉をもじったものとなる。

「三位一体の神」などというキリスト教の教義は否定していたペギーだが、インフルエンザが重症化する中で、自らの肉体の脆弱さへの驚きと怒りを経験し、印刷工場か、編集室か、近隣の村か、自分はいったいどこで感染したのだろうかと自問した。

記事は、インフルエンザで寝込む男と社会主義者の対話になっていて、社会、宗教、病の治癒、治療法、社会主義の未来について考察されている。インフルエンザが人間の実存的な問いについて考える機会となったのだ。個人的な老いや障害ではなく集団を襲う感染症の意味を探るために、ペギーは、革命の言葉ではなく神に向けられた言葉を求めずにはいられなかった。

その一つが、一六六六年にケルンで刊行されたパスカルの『信仰諸論』にある「病気のよき活用を神に願う祈り」だった。その祈りは、個人の肉体の終焉を世界の終わりと結びつけ、肉体の死が訪れる前に、この世のすべてのものへの執着から離れて神の慈悲を乞う機会として、病の体験をとらえたものだ。

パスカルは、その一〇年前、涙瘻炎に苦しんでいた姪が、パリのポール・ロワイヤルの教会で「キリストの茨の冠の棘」という聖遺物を目に当てられて祈った数時間後に回復するという奇跡に立ち会い、そのことで神の恩寵を擁護するようになった。誰もが避けることができない「死に至る病」について考えているうちに、彼の祈りは終末論と結びついた。

†ルナンの真珠貝

ペギーが引用したもう一つのテキストは、近代合理主義の視点から奇跡譚を排除した『イエス伝』で有名なルナンの『哲学の対話』(一八七六)に収録されている、病気と治癒に関する論考だ。ルナンはその中で、信仰者による祈りとは実際には「奇跡の要求」だと言っている。

自然の秩序に従って死ぬべきである時に、神に治癒を願う人が求めているのは奇跡であり、つまり不死を要求しているということだ。雨が自然に降るはずのない気象条件下で、雨乞いをする農民が求めているのも奇跡だ。しかし、もしそんな祈りがかなえられたとしても、それが本当に祈りの効果であったかどうかを検証できる者はいない。

古代のカルタゴでバール・ハモンの神を信じていた人々が、祈りを神に聞き届けられた時にささげた感謝の奉納品が後世に大量に発掘されているが、それはキリスト教の神ではない。多くの人がその効験を信じていたとしても、それは何の証明にもならない。同じ病に苦しむ人がいて、そのどちらかに奇跡のメダルを与え、もう一方には与えない場合の治癒の差を比較する実験など誰もしない。歴史的にも、神を信じる敬虔な国が、異端や異教の国に敗北することは珍しいことではなかった。より強い軍隊、より有能な指揮官を持った国が勝利しているのだ。

自然は善と悪に無関心である。病が種の絶滅につながるようなものである時、人は死と戦い続けたが、小さな個人的な病はいつも看過されてきた、とルナンは指摘する。

とはいえ、ルナンは自然を超越する宇宙意識の存在を否定しているわけではない。人間の不死性などよりも、「至高存在」の恵みを信じることの方が、希望が持てると言う。奇跡は、今は起こらないにしても、人が善の勝利のために努力すればいつかは報いられるかもしれないのだ。

ユダヤ＝キリスト教は、人類の終わりに神の治世を想定している。無力で低次元の意識によって支配されている世界は、いつかはより高次な意識によって支配されるかもしれない。その時すべての不正は修復され悲しみは癒される。ルナンはそれを真珠貝に喩えた。真珠貝の暗い内部ではあらゆる病が蔓延しているが、実は最終目的である理想の美に達するために分泌物を出し続けている。宇宙の生の営みも同じで、曖昧で遅々としているが、そこで生まれる苦しみこそが、精神的、知的、道徳的な動きへといつか結晶する。世界の病は世界の真珠なのだ。それは今我々が住む宇宙よりも輝く最終目標であり、無限に高い次元にあるものだろう。

†「健康の革命」

集団的病についてのパスカルやルナンによるこれらの考察を経た上で、ペギーは、不信心者を地獄に堕とすカトリックの聖体拝領による救いは不完全だとした。すべての人を救おうとする「社会主義の聖体拝領」こそ、完全なものである。それがインフルエンザの体験によってペギーが到達した「健康の革命」だった。

ペギーの社会主義革命は、弱者を救う社会の変革であり、資本家や王侯貴族、ブルジョワジーという生身の人間を打ち倒すものではなかった。資本主義における功利主義の価値観を覆すことであり、それはむしろ、本来のキリスト教が説く生き方と親和性がある。ペギーはキリスト教に近づき、一九一二年六月に、シャルトルのカテドラルに巡礼に行った時に決定的な回心を体験する。

その巡礼のきっかけとなったのは、次男のピエールがパラチフスという感染症にかかって生死をさまよったことだった。当時のペギーは家庭的にも経済的にも苦境にあったため、息子の治癒を聖母マリアに祈り、「無事回復すれば感謝の祈りを捧げるためにシャルトルに行く」という願（がん）を立てたのだ。

やがて次男は回復し、ペギーは聖母への誓いを果たすためにシャルトル巡礼に出発した。我が子の命の危機を前にしては、パスカルのように終末を受け入れることも、ルナンのように宇宙の次元が上がる希望を抱くことも現実的ではなかった。ペギーはひたすら聖母に祈り、感謝することを選んだ。キリスト教の回心とは、古い人間から新しい人間へと移っていく継続する革命だとするパウロの言葉をペギーは生きた。

†信頼と共に

疫病が、身近な共同体を、自分や大切な人を襲う時、またそれに乗じた脅しの言説が政治や経済の思惑によって生みだされる時、感染対策の名のもとに人のつながりを断つ隔離危機への意識が高まる時、私たちは、過去に疫病という試練を克服してきた人々の歴史を振り返り、何が克服の鍵となったのかを探る必要がある。

抵抗することのできない不条理な運命を想起させる疫病の前では、しばしば神の存在意義が問われ、また恃まれてきた。そのような「疫病と神」の関係の中で築かれてきたことの一つに、生命力を内面に求めるというやり方がある。人と神を結びつけるものが祈りだが、その確かな効用の一つは、「今ここで」という時間やコストパフォーマンスを忘れ、そこから離れられることだ。

生死に関わる実存的な恐怖によって、自分を取り巻く世界に対する認知・認識の歪みが生まれると、自他を信じることに障害が起きる。他者との関係が、「感染させられる／感染させてしまう」という不信と不安のうちに閉じ込められてしまうのだ。そんな状態を前にした時、私たちが世界をどのように見ればいいかを、「疫病と神」の歴史は示唆してくれる。それは、いま起こっていることを「冷静に、適切な距離を置いて、信頼と共に」見るということだ。

この「信頼と共に見る」というのは、罪悪感を持つことを払拭するという意味にほかならない。天罰や自己責任という自他の糾弾から、「世界の終わり」のアポカリプス、環境破壊によって自然から復讐されたという「崩壊学」まで、恐怖と思考停止を招く様々な心の傾きを是正しなければならない。

人は、神との関係の中で、命や健康が自分だけの所有物ではないということを繰り返し学習してきた。命は最初に無償で与えられたもので、受け継ぎ、つないでいくものだ。「命と経済のどちらが大切か」などという言説のもとに、命という財産を失わないために隔離して蔵に閉じ込めておくとしたら、それは何よりも命そのものへのリスペクトを欠くことになる。冷静に、適切な距離を置いて、信頼への扉を閉ざさずに状況を見れば、不安や罪悪感の占める場所に希望の光が少しずつ射してくる。その希望が、人とのつながりを回復して心と体に生命の息吹が感じられるようになる時こそ、悲観という疫病が本当に終息する時だ。

シャルル・ペギーは、一九一一年に希望の賛歌「第二徳の秘義の大門」という有名な詩を残した。キリスト教で三つの「対神徳」と言われる「信仰、希望、愛」はいずれも女性名詞なので、三人の女性の姿で表されることがあるが、ペギーはこれを、二人の姉の真ん中で手をつないで歩く「希望」という少女の姿に喩えた。

二人の姉は現在と永遠とを見ることのできる大人であり、両側から少女を支えながら、険(けわ)しい上り路へと導いているようだ。しかしよく見ると、子供が来るべき明日を信頼して無心にどんどん歩くように、少女が二人の姉の手を引っ張って前に進ませているのがわかる。子供が親を信頼し、親から信頼されることを期待しているように、姉たちは少女から寄せられる信頼を受け止めている。少女は今と永遠の両方の未来を見て進む。その小さな少女の姿を見て、神は驚き、感動する。

この「期待」と「希望」は、非科学的な幻想が見せる楽観とはまったく別物であり、ある意味では「信仰」や「愛」よりも難しい。多くの試練を抱え困難な状況に生きている人が、「よりよい明日」を信じて共に進もうとする時に、愛や信仰もきっと前へと促される。

グローバル世界のスタンダードを提供したキリスト教文化圏において、医学と神学、近代国家と経済と医療が、疫病と向き合いながらどのように希望の言説を織りなしてきたかを知ることが、明日を担うすべての子供たちの行く道を照らす一助となることを期待しよう。

あとがき

二〇二一年の復活祭シーズンがやってきた。前年は突然津波のように襲ったコロナ禍を前にして、扉をすべて閉ざさなければならなかったヨーロッパのカトリック教会は、今年こそはと、慎重ではあるが万感の思いを込めて「復活」を口にした。

二〇一九年一一月に日本を訪れたのを最後に、バチカンに引きこもって祈りを捧げ続けたフランシスコ教皇は、二〇二一年三月にイラク訪問を決行した。イラクは一神教共通の祖先であるアブラハムの生地であり、最古のキリスト教共同体が根付いた場所でもある。

けれども二〇〇三年の多国籍軍の侵攻以来の内戦で疲弊し、イスラム過激派に占領されて、キリスト教徒の大半が迫害されて国を捨てた。カテドラルは破壊され、テロリズムが横行し、過激派が巣くう地域も未だ残っている。

これまでにイラクを訪問したローマ教皇はいない。教皇のイラク訪問に反対する人は多かった。それに加えてのコロナ禍である。しかも教皇は八四歳の高齢の上、若い頃に患った肺炎で右肺の一部を切除されている。テロリズムのリスクの上に深刻な健康リスクも抱えることになった。

それでも教皇の意志は変わらなかった。一九世紀には最初のワクチンを「悪魔の発明」だと拒絶した教皇庁は、新型コロナウイルスのワクチンについては当初から肯定し、イタリアで最初のワクチンが解禁された一月半ば、教皇は真っ先にワクチンを接種した。彼が真っ先にワクチンを接種したのはパフォーマンスでもなく、病気にかかることを恐れたからでもない。何よりも、イラクに行くためだった。

そして予定通り、三月初めにイラクを訪問し、廃墟となったカテドラルでミサを挙げ、イラク人口の六〇%を占めるイスラム教シーア派の最高指導者であるアヤトラ・アル・シスタニとの会見を果たす。九〇歳のアヤトラを守るためにもワクチン接種は必要だった。ワクチン接種は、迫害され続ける中東のキリスト教徒たちを現地で励まし、アブラハムの子孫として同胞であるイスラム教徒と共に和解と復興を呼びかけるという教皇の決意と使命を助ける「手段」のひとつだったのだ。

＊

人はいつも疫病と戦ってきた。けれども「疫病に打ち勝つ」ことが戦いの目的ではない。戦いの目的は、「生きる目的」を妨げる様々な障害を取り除くところにあるのだ。そして、

「生きる目的」とは、ただ「健康であること」や「死なないこと」ではない。それなのに、長い間、病や死が日常の視界から消えていた二一世紀の先進国では、いつのまにか、「長寿」や「健康」そのものが人生の目的であるかのような様相を呈してきた。「不老」や「不死」さえが渇望され、巨大なマーケットが生まれた。

そのような時代に発生したパンデミックによって「死」が突然可視化されたのだ。病院の床に寝かされる患者、体育館に並べられる棺、急造される埋葬地、毎日発表される感染者数や死者数は、私たちを不安と恐怖に陥れた。その結果、これまで「死」を無視していた反動であるかのように、生きること「だけ」が目的化していった。感染しないこと、させないこと、死なないこと、死なせないことが最優先事だという認識が突如として共有された。

そんな時、高齢でハイリスクのローマ教皇がワクチンを接種してイラク訪問を決行した。日本訪問の時と同じように精力的に移動し、多くの人々と出会い、力づけた。ワクチンが病気のリスクを減らし、健康を守ってくれたかもしれないが、健康であることが教皇の目的ではなく、目的に向かう手段だったのは明らかだ。

教皇とイラクの人々が交流する姿を見ることで、コロナ禍の間中、自粛、ステイホーム、社会的距離、マスク、人が集まるのを避けるなどと繰り返し叩き込まれて来た頭にとって、はっとするほど新鮮な気づきをもらえた。

　教皇のイラク訪問が、中東の情勢をすぐに劇的に好転させるわけではないだろう。けれども、教皇の言葉を聞き、平和への思いを共有し、疲弊を労り努力を励ます笑顔に触れた一人一人の心に希望が芽生えたとしたら、それがいつか本当の復活と再生の分かち合いにつながっていくに違いない。私たちは、ただ生きるのでなく、「共に生きる」時に十全に生きるのだ。たとえそれが「共に苦しむ」疫病の時代であっても。

*

　コロナ禍の間、戦争もなく物資も欠乏していない国で、エッセンシャル・ワーカーでもなく医療者や患者でもなく、混迷する情報の視聴者、消費者としてひたすら過ごしてきた私にとって、疫病と西洋精神史をめぐるこの本を書いたことは、「共に生きる」ことのささやかな実践にほかならない。

『女のキリスト教史』に次いで今回も伴走してくれた山本拓さんやこの本を手にしてくれる読者のみなさんへの感謝のためにも、この道を見失わないで少しずつでも歩き続けられるようにと願うばかりだ。

主要参考文献

本文中における『聖書』からの引用は、主に日本聖書協会『聖書　新共同訳』（一九八七年）、および日本聖書協会『聖書協会共同訳』（二〇一八年）を参照した。

P. Ariès《L' homme devant la mort》Seuil, 1977.
P. Bourdelais/A. Dodin《Visages du Choléra》Ed. Belin, 1987.
O. Clerc《Médecine, religion et peur》Ed. Jouvance, 1999.
J. Delumeau《Une histoire du paradis》Fayard, 1992.
J. Delumeau《La peur en Occident》Fayard, 1978.
R. Dericquebourg《Religions de guérison》Cerf, 1988.
P. Fautrier《Hildegarde de Bingen》Albin Michel, 2018.
J. Favret-Saada《Les mots, la mort, les sorts》Gallimard, 1985.
J. C. Larchet《Théologie de la maladie》cerf, 1991.
J. C. Larchet《Thérapeutique des maladies mentales》cerf, 1992.
F. Lebrun《Médecins, saints et sorciers aux 17e et 18e siècles》Temps actuels, 1983.

J. Le Goff《La naissance du Purgatoire》Folio, 1991.
L. Lévi Makarius《Le sacré et la violation des interdits》Payot, 1974.
D. Maurin《Les secrets de santé et bien-être de Sainte Hildegarde de Bingen》Jouvence, 2012.
J. L. Schlegel《La Religion au temps du coronavirus》Esprit mai, 2020.
A. S. Sprenger《Coronavirus, Bible et théories de l'effondrement》par《PROTESTINFO》18 MARS 2020.
Paracelse《De la peste, et de ses causes et accidents（traduits en François par M. Pierre Hassard)》De l' imprimerie de C. Plantin, 1570./E-book, 2015.
《Paracelse, Volumen medicinae paramirum: Œuvres médico-chimiques ou Paradoxes. Liber paramirum》Arché, 1975.
竹下節子『パリのマリア――ヨーロッパは奇跡を愛する』筑摩書房、一九九四年
竹下節子『聖女伝――自己を癒す力』筑摩書房、一九九五年

ちくま新書
1580

疫病の精神史
――ユダヤ・キリスト教の穢れと救い

二〇二一年六月一〇日　第一刷発行

著　者　竹下節子（たけした・せつこ）
発行者　喜入冬子
発行所　株式会社 筑摩書房
東京都台東区蔵前二-五-三　郵便番号一一一-八七五五
電話番号〇三-五六八七-二六〇一（代表）
装幀者　間村俊一
印刷・製本　三松堂印刷 株式会社
本書をコピー、スキャニング等の方法により無許諾で複製することは、法令に規定された場合を除いて禁止されています。請負業者等の第三者によるデジタル化は一切認められていませんので、ご注意ください。
乱丁・落丁本の場合は、送料小社負担でお取り替えいたします。
© TAKESHITA Setsuko 2021　Printed in Japan
ISBN978-4-480-07406-5 C0220

ちくま新書

956 キリスト教の真実 ――西洋近代をもたらした宗教思想 竹下節子
ギリシャ思想とキリスト教の関係を検討し、近代ヨーロッパが覚醒する歴史を辿る。キリスト教という合せ鏡をとおして、現代世界の設計思想を読み解く探究の書。

1459 女のキリスト教史 ――「もう一つのフェミニズム」の系譜 竹下節子
キリスト教は女性をどのように眼差してきたのか。聖母マリア、ジャンヌ・ダルク、マザー・テレサ……、世界を動かした女性たちの差別と崇敬の歴史を読み解く。

1424 キリスト教と日本人 ――宣教史から信仰の本質を問う 石川明人
日本人の99％はなぜキリスト教を信じないのか？ 宣教師たちの言動や、日本人のキリスト教に対する複雑な眼差しを糸口に宗教についての固定観念を問い直す。

1215 カトリック入門 ――日本文化からのアプローチ 稲垣良典
日本文化はカトリックを受け入れられるか。日本的霊性と超越的存在の問題から、カトリシズムの本質に迫る。中世哲学の第一人者による待望のキリスト教思想入門。

1048 ユダヤ教 キリスト教 イスラーム ――一神教の連環を解く 菊地章太
一神教が生まれた時、世界は激変した！「平等」「福祉」「不寛容」などを題材に三宗教のつながりを分析し、現代の底流にある一神教を読み解く宗教学の入門書。

085 日本人はなぜ無宗教なのか 阿満利麿
日本人には神仏とともに生きた長い伝統がある。それなのになぜ現代人は無宗教を標榜し、特定宗派を怖れるのだろうか？ あらためて宗教の意味を問いなおす。

744 宗教学の名著30 島薗進
哲学、歴史学、文学、社会学、心理学など多領域から宗教理解、理論の諸成果を取り上げ、現代における宗教的なものの意味を問う。深い人間理解へ誘うブックガイド。